Caroline Castle • Krieg der Klamotten

OMNIBUS

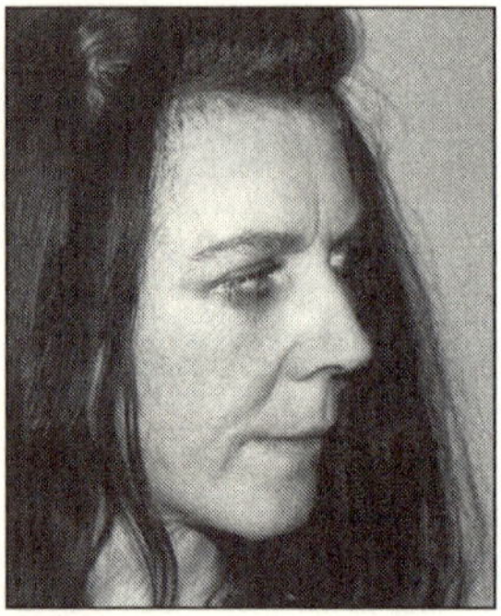

Foto: © privat

DIE AUTORIN

Caroline Castle lebt in London, wo sie für ein großes Verlagshaus arbeitet. Ihre Hobbys sind Singen, Malen, Tanzen, Schwimmen und Reisen. Sie hat mehrere Jugendbücher und Texte für Bilderbücher geschrieben, von denen einige in Deutschland erschienen sind. Außerdem illustriert sie Bilderbücher. Sie mag Kinder aller Altersstufen – vor allem die unangepassten.

Caroline Castle

Krieg der Klamotten

Mit Illustrationen
von Belinda Evans

Aus dem Englischen
von Nina Schindler

OMNIBUS

Band 20118

OMNIBUS

Der Taschenbuchverlag für Kinder
Verlagsgruppe Random House

www.onmibus-verlag.de

Für Lily

Umwelthinweis:
Alle bedruckten Materialien dieses Taschenbuches sind chlorfrei und umweltschonend.

6. Auflage
Erstmals als OMNIBUS Taschenbuch Mai 1997
Gesetzt nach den Regeln der Rechtschreibreform

Die Originalausgabe erschien unter dem Titel
»Rosie Pugh and the Great Clothes War«
bei Piccadilly Press Limited, London
Übersetzung: Nina Schindler
Lektorat: Kerstin Wendsche
Innenillustrationen: Belinda Evans
Umschlagbild: Sabine Kranz
Umschlagkonzeption: Klaus Renner
kk · Herstellung: Stefan Hansen
Satz: Uhl + Massopust, Aalen
Druck: Clausen & Bosse, Leck
ISBN 3-570-20118-X
Printed in Germany

1

Das kann ich doch nicht anziehen!«, kreischte Rosie von oben runter. »Doch nicht zu Tamara!«

Mrs. Peck, die Mutter der vom Schicksal gebeutelten Rosie, sah oben an der Treppe ein Paar stämmiger Beine, bekleidet mit etwas, das ganz nach einer tipptopp Stretch-Leggins aussah. Sie ließ ihren Blick weiter wandern und entdeckte ein ausgeleiertes rot-weiß gestreiftes T-Shirt und darüber ein wütendes rotes Gesicht unter einem verstrubbelten blonden Haarschopf.

»Ich finde, die Leggins sehen total in Ordnung aus«, sagte sie, »und ich bin sicher, diese berühmte Tamara wird sie auch total in Ordnung finden.«

»Gott!«, keuchte Rosie. »Bitte hilf mir! Kannst du denn nicht sehen, dass sie *eingelaufen* sind? Du hast sie wieder mal zu heiß gewaschen. Kannst du denn nicht begreifen, dass ich diese neuen Jeans *echt* brauche!«

Die Mutter drehte ihr den Rücken zu und fuhr fort Kleidungsstücke und Spielsachen aufzusammeln, die in der Diele verstreut umherlagen, als ob sie sagen wollte: Na gut, ich hab dir geduldig und aufmerksam zugehört, aber du bist albern und dickköpfig. Ich hab jetzt die Nase voll davon. Und das war es dann.

Aber Mrs. Peck hatte den Ernst der Lage, in der ihre Tochter sich befand, nicht begriffen. Wie unerträglich lächerlich und demütigend es wäre, wenn sie in zu engen Leggins bei Tamaras Party aufkreuzen würde. Rosie konnte sich kaum noch beherrschen.

»MAMI«, stöhnte sie, »du kapierst auch gar nichts. Ich hab sonst nichts zum Anziehen. Ich hab ja noch nicht mal ein Paar Nikes, und *alle* in meiner Klasse haben welche, nur ich nicht. Ich hab bloß diese grässlichen alten Pumas, die kein Schwanz heute mehr trägt. Diese Leggins *kann* ich einfach nicht anziehen. Die Leute würden ja denken, dass wir kein Geld haben!«

»Dann denken sie völlig richtig!«, fauchte ihre Mutter und Rosie brach in Tränen aus und marschierte den Flur entlang in ihr Zimmer.

Mrs. Peck stieß einen tiefen Seufzer aus. Ihr kam es so vor, als wäre Rosie gestern noch eine völlig normale, ausgeglichene Zwölfjährige gewesen, die man fast mit Handschellen am Waschbecken anschließen musste, wenn man ihr die Haare kämmen wollte. Ein liebenswertes, fahrradbegeistertes Kind mit einer uralten Jeans mit zerlöcherten Taschen als Lieblingsklamotte, die sie tagein, tagaus anhatte. Ein Kind, das beim leisesten Hinweis auf die Notwendigkeit des Waschens ihre Mutter ungläubig ansah und protestierte: »Aber ich war doch letzten Mittwoch im Schwimmbad.«

Doch seitdem Tamara Prince in die Klasse 3B gekommen war, hatte sich Rosie zu einem Fastteenager gewandelt, der wild auf neue Kleider war, sich dauernd kritisch im Spiegel betrachtete, ständig an sich herumschrubbte, und die Mutter wurde dabei langsam verrückt.

Sie hatte eine endlose Lobeshymne auf Tamara ausgehalten, die nach Rosies Worten wunderschön, klug und reich war und über alles Bescheid wusste, besonders darüber, was Zwölfjährige tun und anziehen sollten – was nicht ganz mit den Ansichten von Rosies Mutter übereinstimmte. Sie war diesem Wunderkind bislang nicht begegnet, aber sie hegte den heimlichen Verdacht, dass der Familie Peck alle die Eigenschaften fehlten, mit denen man dieses Supermädchen hätte beeindrucken können. Und nun drohte die Geburtstagsfete, und Rosie würde keine Ruhe geben, bis sie nicht eine neue Jeans kriegte. Dafür würde sie brüllen, heulen, jammern und jaulen und schließlich betteln und bitten. Und wahrscheinlich müsste auch noch ein Paar Turnschuhe für fünfundsiebzig Pfund dazukommen.

Plötzlich ertönte aus der Küche ein ohrenbetäubender Lärm. Die Mutter ließ das Kleiderbündel fallen und lief, um sich um ihren Jüngsten zu kümmern. Quietschie-George saß in seinem Hochstühlchen und quetschte sich wütend eine Banane ins Ohr, während er »ÜÜÜ« kreischte.

»So ist es richtig, Georgie«, sagte Mrs. Peck. »Üb nur schon ordentlich. Am besten, du fängst jetzt schon an.«

Als es an diesem Tag Schlafenszeit war, saß Rosie in ihrem Zimmer, stierte auf ihr rosa-weißes zwölfjähriges Gesicht und schickte ein Gebet zum Himmel.

»Bitte, lieber Gott«, flüsterte sie, »mach, dass meine Beine dünner werden und dass meine Sommersprossen verschwinden und sie eines Morgens beim Aufwachen einfach nicht mehr da sind; mach, dass Mami sieht, wie wichtig die Party für mich ist; lass Papi im Lotto gewinnen – nur dies eine Mal! – und mach, dass Mama einsieht, was für tolle Schuhe Nikes sind, wie haltbar sie sind und dass sie unheimlich lange passen; und mach, dass Quietschie-George heiser wird und ...« – sie sah an ihrem rosa Schlafanzug mit dem Mickymausmuster runter, den die Großmutter ihr zum Geburtstag geschenkt hatte ... – »lass diesen doofen Anzug bei der nächsten Wäsche einlaufen und im Trockner die Fasson verlieren, damit ich ein schickes neues Nachthemd kriege, wie Peta Wylie es bei Debenhams gekauft gekriegt hat.« Dann stampfte sie zu ihrem Bett, zog die Bettdecke über den Kopf und jammerte sich in den Schlaf.

In dieser Nacht träumte sie, dass ihre Mutter sie gezwungen hatte, in dem Mickymausschlafanzug zu Tamaras Party zu gehen. Tam öffnete die Tür in einem blauen Minikleid, um ihren Hals hingen drei Paar verschiedene Nikes. Sie sah Rosie an und schrie: »He, kuckt mal alle her! Das ist…« Die Partygäste kamen herbeigeströmt und drängelten sich in der Diele – es waren mehr als hundert –, sie schubsten sich, lachten und reckten die Hälse, um ja nichts zu verpassen. Und dann – Schreck lass nach! – fing Rosies Schlafanzug an zu schrumpfen! Er wurde kleiner und kleiner, bis schließlich nur noch zwei winzige, kaum erkennbare Stoffstückchen auf ihrer Gänsehaut klebten.

Mit einem Ruck erwachte Rosie. Sie setzte sich im Bett auf, immer noch ganz erfüllt von dem grässlichen Gefühl totaler und unerträglicher Demütigung. Sie sah sich im Zimmer um. Doch, da war ihr Teddy und da der Schreibtisch und ihr Schrank. Und da lag auch – und wenigstens diesmal war sie froh über seinen Anblick – Quietschie-George und schnorchelte zufrieden in seiner Wiege. Ein kaum beschreibbares Gefühl von Erleichterung breitete sich in Rosie aus. Es war ein Traum gewesen. Es war nicht wirklich passiert.

Beim Frühstück durchbohrte Rosie den Rücken ihrer Mutter mit Blicken. Sie schickte ihr eine telepathische Botschaft. Gedankenübertragung wurde so was wohl genannt. Sie machte die Augen weit auf und konzentrierte sich auf den Hinterkopf ihrer Mutter. Neue Jeans, neue Jeans, neue Jeans, wiederholte sie wieder und wieder in Gedanken und hoffte, dass die Dringlichkeit ihres Wunsches und seine völlige Berechtigung sich dorthin übermittelten.

Die Mutter fühlte ein Kribbeln im Nacken und sah beim Umdrehen, wie Rosie kerzengerade dasaß und wie in Trance ins Leere starrte. »Du meine Güte, Mädchen«, schimpfte sie, »es ist schon halb neun! Du solltest mit dem Träumen aufhören und loslaufen.«

Von wegen Gedankenübertragung.

»Mama!«, sang Rosie in ihrer Ich-weiß-schon-dass-du-Nein-sagen-wirst-aber-ich-fang-ja-erst-damit-an-Stimme.

Aber ihre Mutter hatte den vollen Durchblick. »Nein, nein und noch mal nein.«

»Aber ...«

»Keine Widerrede.«

2

An der Kreuzung fing Rosie an zu laufen. In letzter Zeit gab sie sich Mühe, möglichst früh zur Schule zu kommen, weil sie hoffte, dass Tam sie bemerken und mit ihr zusammen zur allmorgendlichen Schulversammlung gehen würde. Vielleicht könnten sie dann sogar nebeneinander sitzen!

Am Freitag hatte Rosie ihrer besten Freundin Kate den Feinliner gezeigt, den ihr Vater ihr für die Biologieskizze geliehen hatte. Dabei fragte Tam sie, ob sie sich den mal ausborgen könnte, weil sie eine Karte für Erdkunde zeichnen musste, und dann unterhielten sie sich über die letzte Folge der »Lindenstraße«, die sich beide leidenschaftlich gern ansahen (die anderen schauten alle »Baywatch«, aber das fand Rosie stinklangweilig).

Als es klingelte, waren sie zusammen zur Versammlung gegangen, als wäre es ganz selbstverständlich. Alle drehten sich um und sahen zu ihnen hin. Die Leute mussten Tam einfach anschauen, weil sie so, na ja, so hinreißend war. Als Rosie an Kate vorbeilief, die ihr wie immer den Platz neben sich freihielt, zwickte sie ein leises Schuldgefühl. Kate hatte sie verächtlich von der Seite angeblickt, als wollte sie sagen: Mir doch egal! Aber irgendwie war der Augenblick so wunderbar, dass Rosie das ganz schnell wieder vergaß.

Heute kam Rosie genau in dem Moment auf dem Schulhof an, als die Reihe ihrer Klassenkameraden durch die Tür verschwand. Ein langes, dünnes Mädchen mit einem schwarzen Lockenkopf drehte sich um, lächelte und winkte ihr heftig zu. Kate! Dem Himmel sei Dank für Kate. Sie schmollte nie längere Zeit. Ein paar Stunden lang war sie beleidigt und dann war alles vergeben und vergessen und sie waren wieder Freundinnen. Rosie hängte sich bei ihr ein und zusammen gingen sie in den Saal.

»Ich dachte schon, du schaffst es nicht mehr rechtzeitig«, sagte Kate. »Bist du mit den Jeans weitergekommen?«

»Du machst Witze! Ich hab doch erst angefangen. Momentan hat meine Mutter dafür keinen Nerv. Ich muß sie dann beknien, wenn Quietschie-George mal einen guten Tag gehabt hat, obwohl das wahrscheinlich noch bis zum Jahr 2956 dauert, so wie der sich benimmt. Sie weiß, dass es mir ernst ist. Wie steht's bei dir?«

»Na ja, meine Mutter hat stundenlang rumgemeckert, dass ich gerade erst neue Ballettschuhe gekriegt habe und lauter solche Sachen, aber als wir dann einen Einkaufsbummel gemacht haben, probierte ich das blaue T-Shirt an – du weißt schon, das mit den langen Ärmeln. Sie hatten es gerade auf fünf Pfund fünfundneunzig runtergesetzt, da haben wir es gekauft! Das klappt manchmal ganz gut, wenn meine Mutter denkt, sie macht ein Schnäppchen.«

Genau in diesem Augenblick bellte die Stimme von Mrs. Atwood durch den Saal: »Ihr zwei da hinten, Ruhe jetzt!«

»Miese alte Zicke«, sagte Kate und eingehakt marschierten die beiden zur Schulversammlung und setzten sich möglichst weit entfernt von Mrs. Atwood hin, damit sie in Frieden weiter über das lebenswichtige Thema von Rosies Jeans reden konnten.

Es war ein brütend heißer Tag, und bis sie wieder in den Klassenraum zurück durften, war Rosie durchgeschwitzt und fühlte sich grässlich. Sie saß schon an ihrem Tisch, als Tam mit Sophie Crane und Beth Franklin hereinkam.

Beth Franklin war groß und sah sportlich aus, ihr

kastanienbraunes Haar war sehr kurz geschnitten. Sie hatte eine tiefe, wohl tönende Stimme und strotzte förmlich vor Gesundheit. Rosie fand, dass sie wie eine Bergsteigerin aussah, oder als starte sie an jedem Wochenende irgendeine andere sportliche Unternehmung. Sophie war kleiner und zierlicher, sie trug ihr dunkelbraunes Haar in einer Pagenfrisur. Ein bisschen ähnelte sie Tam, war aber nicht so hübsch. Sophie wohnte in Manor Park Gardens – einem großen Apartmenthaus in der Nähe vom Park – und ihre Mutter arbeitete als Reporterin bei der hiesigen Tageszeitung. Beth und Sophie hatten sich bisher meistens für sich gehalten, bis Tam kurz nach Weihnachten aufgetaucht war. Jetzt liefen die drei herum, als wären sie schon von Geburt an die besten Freundinnen gewesen. Manche aus der Klasse schlossen sich ihrer Gruppe an, andere waren eifersüchtig und einige fanden sie unaussprechlich hochnäsig. Aber alle interessierten sich für Tam, selbst wenn sie so taten, als wäre sie ihnen egal.

Tam sah wunderschön aus. Ihre fülligen schwarzen Haare waren ebenfalls zu einer Pagenfrisur geschnitten und sie schwangen bei jeder ihrer Bewegungen wie ein seidiger Vorhang mit. Sie hatte eine glatte, leicht sonnengebräunte Haut ohne die Spur eines Pickels und trug einen karierten Faltenrock und ein graues Sweatshirt. Und natürlich hatte sie das neueste Modell von Nikes an den Füßen …

Rosie war es plötzlich sehr heiß und sie war müde.

Ihre feinen blonden Haare hatten sich im Nacken zu einem verschwitzten Knäuel verwuschelt und ihr T-Shirt klebte ihr am Rücken. Sie fasste den Entschluss, sich bei der nächstmöglichen Gelegenheit ihre Haare genau wie die von Tam schneiden zu lassen. Ganz sicher war ihre Mutter damit einverstanden – schließlich wäre es dann viel ordentlicher und es wäre leichter zu kämmen und sowieso das einzig Vernünftige bei diesem warmen Wetter …

Während Miss Bernard über Euphemismen und Metaphern dozierte, fing Rosie an zu träumen. Sie war zu Hause, aber ihr Zuhause war nicht Jenkin Terrace Nummer 25. Es war … ein großes Haus aus Natursteinen, mit einer so langen Auffahrt, dass es von der Straße aus nicht zu sehen war … Es hieß … Lion House! Jawohl, Lion House, weil zwei bildschöne steinerne Löwen auf Säulen neben den Torpfosten standen und das Haus bewachten. Lion House … aber alle Bewohner des Ortes nannten es *Das große Haus*, weil es das prächtigste in der ganzen Umgebung war. Es hatte ein elektrisches Tor mit einem Wachmann auf der anderen Seite und Besucher mußten sich vor einer versteckten Kamera ausweisen, bevor sie hereindurften. Das mußte so sein, weil … ihr Vater berühmt geworden war, ein berühmter … Zunächst fiel Rosie nichts ein, denn ihr Vater interessierte sich nur für Sumo-Ringer, Van Morrison (einen uralten Rocksänger, von dem noch nie jemand was gehört hatte) und Schnecken (oder gierige kleine Schleimbeutel, wie er sie nannte), die ihm immer die Gartenpflanzen wegfraßen. Nein, besser, es war Mama. Mama war berühmt, weil… sie ein Buch geschrieben hatte! Jawohl, sie hatte ein Buch über die Behandlung von ekelhaften anderthalbjährigen Jungen geschrieben, die alles kaputtmachten, was sie in die Finger kriegten, die ihr Essen an die Zimmerdecke schleuderten, spuckten und grässliche Kreischgeräusche ausstießen, als würden sie von einem Vampir erwürgt. Sie hatte sich dafür eine Wunderkur einfallen lassen und war in vielen Fernsehtalkshows damit aufgetreten. Verzweifelte Mütter und schwer leidende ältere Schwestern brachten ihr ihre widerlichen, gierigen, quietschenden Bälger auf die Bühne und gingen anschließend mit säuselnden kleinen Engeln wieder weg. Also versuchten die Leute ständig, zu ihr vorgelassen zu werden, und deshalb brauchten sie einen Wachmann und das Sicherheitssystem.

Und erst drinnen im Haus! Alles war mit Löwen verziert. Es gab Tischdecken mit Löwen, Tapeten mit Löwen, Türgriffe in Löwenform und Wasserhähne in Löwenform. Die Löwen waren eine Art Familienwappen. Oben im Haus befand sich Rosies Zimmer. Es war riesengroß und hatte ein schräges Glasdach, damit Rosie nachts im Bett liegen und durch ihr superstarkes Teleskop die Sterne beobachten konnte. Aber das Beste von allem war der Kleiderschrank, der von einer Wand bis zur anderen reichte. In der ersten Hälfte waren Röcke und Pullis. Es gab massenhaft Faltenröcke wie Tams, nur dass Rosie ein Exemplar von jeder nur möglichen Farbkombination hatte. Und zu jedem besaß sie einen passenden Pullover in jeder Länge, mit langen und kurzen Ärmeln. In der anderen Schrankhälfte gab es eine Jeanssammlung, hunderte von Jeans, alle sorgfältig zusammengelegt. Und Schuhe ... lauter Schuhe ... Nikes in allen Formen und Farben ... Gerade als sie sich was zum Anziehen aussuchen wollte, summte der Monitor in ihrem Zimmer. Sie schaltete ihn ein. Das Bild von Tam erschien, die am Tor stand. Dann sagte die Stimme des Wachmannes: »Miss Tamara Prince möchte Miss Peck besuchen.«

»Das geht in Ordnung, ähem, Igor, sie darf reinkommen.« Rosie drückte auf einen anderen Knopf und da läutete es ...

Es klingelte! Die Englischstunde war zu Ende und Rosie hatte nichts mitbekommen. Kate gab ihr einen Rippenstoß. »Rosie ... Rosie, ich hab dich dauernd angesehen, aber du hast geträumt. Du hast dir überhaupt nichts mitgeschrieben ... und wir werden hierüber eine Arbeit schreiben.«

Rosie stand auf, immer noch ganz verzaubert von ihrer Lion-House-Vision, und wanderte raus in den Korridor. Kate rannte hinter ihr her und zog sie am Ärmel.

»Rosie, ROSIE«, wiederholte Kate und versuchte

vergeblich die Aufmerksamkeit ihrer Freundin auf sich zu lenken. »Och, es ist schrecklich, wenn du so bist. Wahrscheinlich muss ich dir meine Notizen borgen.«

Nach dem Mittagessen spielten Rosie, Kate, Peta Wylie und Josie Baptiste im Hof Doofen-Netzball. Das Spiel hatten sich Rosie und Kate ausgedacht und es machte einen Riesenspaß, wenn man nur lang genug mit dem Lachen aufhören konnte, um weiterzuspielen! Sie hatten einfach ein paar Regeln umgedreht: Zum Beispiel durfte man jetzt nicht mehr mit dem Ball einfach dastehen, sondern musste auf einem Bein hopsen und dabei singen. Es war auch nicht mehr verboten, jemanden anzugreifen, der den Ball hatte, sondern man durfte ihr den Ball aus der Hand schlagen, wenn man dabei die ganze Zeit herumhüpfte – und um die Sache noch etwas schwieriger zu gestalten, musste man rückwärts zum Tor laufen. Das Spiel dauerte leider kaum jemals länger als zehn Minuten, weil immer eine der Spielerinnen umfiel oder zu sehr rumalberte oder sich vor lauter Lachen nicht mehr rühren konnte.

Die vier Mädchen kreischten und kicherten beim Spielen. Auf einmal merkte Rosie, dass sie beobachtet wurden. Sie blickte sich rasch um und sah Tam, Sophie und Beth auf dem Rasen sitzen und eine Illustrierte anschauen. Sie hörte das leise Geplauder ihrer Stimmen ... »Dick.« Ja, das hatten sie gerade gesagt. Dick. »Ich könnte es nicht *ertragen*, wenn ich dick wäre«, sagte Tam gerade. »Ich hab aber Glück, meine Mutter ist ganz schlank, alle in unserer Familie …«

»Hier, Rosie!«, rief Kate. »Fang!«

Rosie rannte rückwärts zum Ball, aber irgendwie konnte sie sich nicht mehr auf das Spiel konzentrieren.

»Bäh«, sagte Beth jetzt, »Louise Dickens … die ist fett!« Louise Dickens ging in die 2F. Sie hatte etwas Übergewicht, das schon, aber Rosie fand sie nicht *fett*. Oder? Rosie drehte sich wieder um und Tam lächelte ihr schnell zu, während sie sie blitzschnell von Kopf bis Fuß musterte.

Rosie sprang und fühlte dabei ihr Fleisch wabbeln. Hatte es wirklich gewabbelt? Oder hatte sie sich das eingebildet? Sie sprang noch einmal, und tatsächlich, ihr Po wabbelte! Wahrhaftig! *Dick…* Dieses Wort hämmerte in ihrem Hirn. Sie bekam einen knallroten Kopf.

Das Spiel war aus. Als sie ihre Sachen einsammelten, sah Rosie Tam über den Sportplatz laufen. »Laufen« war jedoch nicht das passende Wort. »Schweben« traf es besser. Tams schlanke braune Beine glitten über den Rasen, als würde sie über Wasser gleiten.

3

An diesem Abend hatte Rosies Vater eine große, schwere Pastete gebacken. Sie war ofenheiß und Rosie verspürte irgendwie keinen besonderen Appetit. Sie probierte einige Happen, aber jeder Bissen blieb ihr am Gaumen kleben, bevor er schließlich im Hals runtergedrückt wurde und im Magen wie ein Klumpen Blei landete. Deshalb piekte sie sich nur ein paar Salatblätter auf die Gabel, während das Stück Pastete traurig auf ihrem Teller lag und kalt und hart wurde.

Ihr Vater sah sie fragend an. »Was ist denn los? Du strafst die Feinschmeckerschöpfung deines Vaters mit Missachtung? Du musst wissen, dass nur wenige Auserwählte auf diesem Globus im Besitz dieses Rezeptes sind. Es gibt da eine geheime Zutat, die es besonders köstlich und unwiderstehlich macht. Du wirst doch nicht plötzlich zur Vegetarierin, oder?«

»Mach schon, Rosie«, sagte ihre Mutter. »Nimm dir noch was, es schmeckt wirklich köstlich. Eins von den Spitzenrezepten deines Vaters. Möchtest du ein bisschen Soße dazu?«

»Bäh.« Rosie sah auf den erstarrten Klumpen auf ihrem Teller. »Nö, tut mir Leid, sie ist so heiß und ich hab einfach keinen Hunger. Kann ich bitte aufstehen?«

Der Vater sah Rosies Mutter an. »Na gut. Aber ich muss schon sagen, ich bin wirklich beleidigt. Ich weiß nicht, ob ich darüber hinwegkommen werde. Bis jetzt bin ich noch nie verschmäht worden. Und dann auch noch von meiner eigenen Tochter!«

Oben in ihrem Zimmer wollte Rosie ihre Hausaufgaben für Biologie erledigen, denn die musste sie am nächsten Tag vorzeigen, und wie sonst auch hatte sie alles bis zur letzten Minute vor sich hergeschoben. Aber sie konnte sich nicht darauf konzentrieren. Was brachte es einem denn, wenn man wusste, dass eine Amöbe ein glibberiger Klecks war? Wenn sie erst mal erwachsen und eine Architektin war, dann würde ihr das wohl kaum bei der Städteplanung helfen? Immer wenn Rosie etwas Schwieriges oder Langweiliges tun musste (und meistens fand sie, das kam aufs Gleiche raus), fing sie an zu zeichnen. Bevor sie es richtig merkte, erhob sich ein Turm unten auf der rechten Ecke der Biologieseite, in nicht löschbarem Filzstift. Als ihr klar wurde, was sie da gemacht hatte, war es zu spät. Der halbe Aufsatz (und das war nicht gerade viel) über den »Lebenszyklus der Amöbe« war in dem großen Glaskuppeldach ihres Turmes verschwunden.

»So ein Mist!«, knirschte sie, riss die Seite raus und fing noch mal von vorn an. Doch bereits nach drei Zeilen war die Amöbe schon wieder vergessen und sie studierte ihr Gesicht im Spiegel. Wenn sie doch bloß nicht diese *Sommersprossen* hätte! Damit sah sie aus wie eine Sechsjährige, besonders mit dem langen Haar und dem doofen Kleinkinderpony. Sie brauchte wirklich einen eleganteren Haarschnitt. Vielleicht würde das helfen.

Später stand Rosie in der Küche, die Arme bis zu den Ellenbogen im Abwaschwasser. Geschirrspülen hasste sie am allermeisten. Sie begriff nicht, warum ihre Eltern keine Geschirrspülmaschine anschafften. Heutzutage besaß doch so gut wie jeder eine, aber Familie Peck hatte natürlich dafür kein Geld, das musste sie für wichtigere Dinge ausgeben – wie Papas neue Verandafliesen und den Kinderwagen für Quietschie-George.

»Mama?«, Rosie drehte sich um.

»Ja.« Die Mutter stieß einen tiefen Seufzer aus.

»Findest du mich dick?« Rosie griff sich an die Hüfte und quetschte eine Fleischfalte zwischen die Finger, wackelte damit hin und her und sah ihre Mutter erwartungsvoll an.

»Du bist überhaupt nicht dick! Wie kommst du denn darauf?«

»Aber sieh doch mal!«, rief Rosie verzweifelt. Sie streckte den Po heraus und gab sich selbst einen Klaps darauf. »Mein Hintern. Der ist riesiglich!«

»Hach, wie soll er denn sein, wenn du ihn so rausstreckst?« Die Mutter legte das Abtrockentuch hin und fütterte George einen Löffel Jogurt.

»Siehst du das denn nicht?«, jammerte Rosie. »Wie kann ich meine Leggins anziehen, wenn ich so einen großen, riesiglichen Hintern raushängen habe? Alle werden mich auslachen. Ich bin echt *dick*!«

»Bist du nicht. Du bist noch ein Kind«, erwiderte die Mutter bestimmt. »Außerdem hat in deinem Alter jeder ein kleines bisschen Babyspeck.«

»Babyspeck!«, kreischte Rosie. »Babyspeck! Also findest du mich doch dick. Wie kannst du nur so gemein sein! Du glaubst, ich bin *dick*!«

Sie schluchzte verzweifelt auf, riss sich die Gummihandschuhe von den Händen, rannte aus der Küche, sauste die Treppe hoch und warf sich auf ihr Bett.

Ich werde nicht zu der Party gehen, sagte sie zu sich. Sogar meine eigene Mutter findet mich dick. Ich bin eine dicke, hässliche Trulla und keiner liebt mich.

Sie wusste, dass das nicht stimmte. Ganz tief drinnen wusste sie, dass ihre Mutter sie sehr lieb hatte, und wenn ihr Vater nicht gerade im Garten arbeitete oder irgendwas reparierte oder kochte, dann nahm er sie oft mal ganz schnell in die Arme. Trotzdem hatte keiner auch nur die leiseste Ahnung, was ihr wirklich wichtig war. Sie nahmen sie einfach nicht ernst. Und es sah immer so aus, als hätten sie Wichtigeres zu tun, zum Beispiel Quietschie-George füttern oder Rasen mähen.

Im Erdgeschoss holte die Mutter dreimal sehr tief Luft. Langsam machte sie sich doch Sorgen um Rosie. In ihrem Alter sollte sie sich eigentlich noch keine Gedanken wegen ihres Gewichtes machen. Das war alles die Schuld von dieser Tamara Prince, da war sich Rosies Mutter ganz sicher. »Pissnelke!«, zischte sie. »Je eher Rosie das selber rauskriegt, desto besser.«

4

Am nächsten Morgen verpasste Rosie Tamara erneut. Sie kam gerade noch rechtzeitig, um sich an Kates Pullover festzuhalten, als die Reihe ihrer Klasse in der Aula verschwand. Sie setzten sich hinten hin und verdrehten die Augen, weil Mr. Parkinson endlos über *Engagement, Leistung* und *Stolz* redete. Das hatte was damit zu tun, dass die Tennismannschaft der Schule das Finale des Regionalturniers erreicht hatte. Offensichtlich war Mr. Parkinson der Ansicht, dass der Schule noch niemals etwas Wundervolleres widerfahren war und deshalb ließ er sich bei jeder Gelegenheit endlos darüber aus. Natürlich fand Rosie ihre Tennismannschaft auch supertoll, warum auch nicht? Aber deshalb musste sie doch nicht bei jeder Schulversammlung immer und immer wieder was davon hören.

In der ersten Stunde hatten sie Freiarbeit im Klassenzimmer, deshalb beeilten Kate und Rosie sich nicht besonders. Als sie in die Klasse kamen, stand eine Gruppe von Schülerinnen hinten zusammen. Rosie drängelte sich durch und entdeckte Tam, die auf einem Stuhl saß und sich über ein aufgeschlagenes Fotoalbum auf dem Tisch vor ihr beugte.

»Das ist unser Swimmingpool«, erzählte sie gerade. »Hier ist er im Freien, aber im Winter können wir so eine Kuppel darüber aufstellen und dann ist es da wie in einer Halle. Das ist ganz angenehm.«

»Ganz angenehm« hätten bestimmt die wenigsten Mädchen der 3b gesagt. »Wahnsinnig supertoll« schon eher, denn niemand in der Klasse und wahrscheinlich in der gesamten Schule besaß ein Haus in Italien – schon gar nicht eins mit Swimmingpool im Garten! Na ja, dachte Rosie, aber für Tam sind solche Sachen eben ganz alltäglich.

»Wir fahren diese Ferien wieder hin«, fuhr Tam fort. »Im August ist es echt heiß. Das Haus ist ziemlich groß, deshalb laden wir oft Freunde dahin ein.« Sie sah Sophie und Beth an und lächelte.

Rosie konnte sich nichts Tolleres vorstellen als einen eigenen Swimmingpool im Garten. Sie schwamm *wahnsinnig* gern. Man musste sich nur mal vorstellen:

Da stehst du morgens auf und tauchst einfach rein! Rosie fing an zu träumen, immerhin war es ja nicht völlig ausgeschlossen, dass Tam sie einladen würde.

Schließlich hatten sie sich in letzter Zeit etwas angefreundet, wo sie sich doch neulich über die »Lindenstraße«, diese Uraltfernsehserie, unterhalten hatten und sie ihr den Stift von ihrem Vater geliehen hatte und überhaupt. Bestimmt erlaubte ihre Mutter ihr das. Die Eltern würden wie immer nur nach Cornwall fahren und wahrscheinlich wären sie sowieso ganz gern mal eine Zeit lang allein, außerdem hatten sie ja auch noch Quietschie-George. Sie würde nur ein bisschen Taschengeld brauchen, weil sie bestimmt im Auto mitfahren durfte, und da würde sie sich ganz klein machen. Wenn sie eingeladen wurde, brauchte sie nur noch einen neuen Badeanzug, denn der alte war ihr inzwischen viel zu klein … Rosies Phantasie überschlug sich förmlich, sauste mit ihr blitzschnell wie über eine Berg-und-Tal-Bahn, immer neue und immer phantastischere Ideen kamen ihr, und sie konnte fast schon die Cola schmecken, die sie trank, während sie ihren wunderschönen neuen Badeanzug anhatte und unter dem Sonnenschirm neben Tamaras knallblauem Pool saß.

Plötzlich tauchte der kahle Kopf von Mr. Parkinson im Türrahmen auf und alle setzten sich in Bewegung und kramten auf ihren Plätzen in den Schulmappen nach den Büchern. Tam beeilte sich nicht sehr. Sie hob beiläufig ihr Album auf und marschierte zu ihrem

Platz, während Peta Wylie hinter ihr herzockelte und mit gedämpfter Stimme fragte: »Und du hast wirklich ein Pferd? In echt?«

Also wirklich, dachte Rosie. Manche Leute sind aber leicht zu beeindrucken.

Die letzte Stunde vor der Mittagspause war Kunst – gleich nach Englisch Rosies Lieblingsfach. Sie malte gerade an dem riesigen Bild einer Phantasiestadt – ungefähr aus dem Jahre 2500. Da hatten die Menschen keine Autos mehr, sondern flogen in winzigen Raketen, die wie Autos aussahen, ungefähr anderthalb Meter über dem Erdboden. Man ging auch nicht mehr auf der Straße spazieren, sondern es gab Laufbänder zwischen den Gebäuden, mit elektronisch steuerbaren Dächern, die sich bei Regen darüber spannten. Und erst die Häuser! Große, hohe, glänzende Paläste als Büros; und zum Wohnen gab es silberne Kuppeln mit Glasdächern, die sich aus der Landschaft erhoben, weil man ja keine Straßen mehr brauchte. Das Allerbeste an Rosies Stadt war aber die Erde – sie war völlig unverwüstet. Es gab keine Straßen, keine Autobahnen oder Eisenbahnschienen, denn die wurden nicht mehr gebraucht, deshalb war es eine ursprüngliche, sich weithin erstreckende Landschaft, wild und offen, durch die ab und zu ein Wasserlauf floss oder ein See glitzerte. Wenn man also rauswollte, dann sauste man einfach in seinem eigenen Lift nach unten und hatte das ganze Land wie einen Garten für sich! Darauf war Rosie besonders stolz, denn so konnte man endlich mit der Umweltzerstörung aufhören. Sie hatte auch ein Haus für sich, ihre Eltern und natürlich auch George gemalt (obwohl sein Zimmer am Ende eines krummen Pfahls lag, der aus der Spitze der Kuppel hinausragte und nur nach unten gelassen wurde, wenn George gefüttert und gewickelt war). Jetzt malte sie noch einen riesigen Balkon an die Rückseite des Hauses. Dann füllte sie ihn mit Wasser und es wurde ein toller schwebender Swimmingpool.

»Das ist aber wirklich *sehr* schön«, sagte Miss Trevor, als sie bei Rosie vorbeikam. »Aber ich wünschte, du würdest wenigstens einmal etwas Realistisches zeichnen oder ein Stilleben. Phantasie ist ja schön und gut, aber es ist auch ganz sinnvoll, ein paar Grundfertigkeiten des Zeichnens zu üben.«

Miss Trevor war ständig am Meckern, weil Rosie immer nur Phantasiebilder malte und nicht genug Techniken übte. Aber Rosie machte es überhaupt keinen Spaß, dazusitzen und eine Vase mit welkenden Narzissen zu zeichnen. Oder Peta Wylie oder wen anderes zu porträtieren, die sich dabei zu Tode langweilten.

»Na ja«, fuhr Miss Trevor fort, »ich muss schon sagen, das hier ist trotzdem sehr interessant. Ich nehme an, du hast die Begeisterung für Häuser von deinem Vater geerbt.«

Rosies Vater war technischer Zeichner in einem Architekturbüro. Manchmal brachte er seine Arbeit mit nach Hause, und dann sah Rosie sich schrecklich gern die Pläne mit den sauberen, feinen Linien und den vielen Winkeln an, wo man das Innere und Äußere fast gleichzeitig sehen konnte.

Sobald Miss Trevor weitergegangen war, vertiefte sich Rosie wieder ganz in ihr Bild. Es kam ihr so vor, als würde sie gewissermaßen darin leben. Auch als es klingelte, malte sie weiter, bis Kate sich von hinten an sie heranschlich und »Buh!« machte.

Während Rosie ihre Sachen zusammenpackte, blieb Tam bei ihrem Bild stehen und sah es ein paar Augenblicke lang an. Rosie merkte, wie sie einen roten Kopf kriegte.

»Hm.« Tam drehte sich weg. »Das ist ganz gut.«

»*Ganz gut!*«, schnaubte Kate. »Es ist nicht *ganz* gut. Es ist *phantastisch!*«

Später in der Cafeteria suchte Rosie nach dem Essen etwas in ihrer Mappe. Plötzlich hielt sie ihr Biologiebuch in der Hand und war mit einem Schlag wieder aus den Wolken auf die Erde geplumpst. In der nächsten Stunde hatten sie Biologie, und sie brauchte den Stift von ihrem Vater, um eine Skizze anzufertigen. Sie musste ihn von Tam zurückholen. Letzte Woche hatte sie nur die Umrisse gezeichnet und dazu hatte sie nur einen Bleistift gebraucht, aber heute erwartete Mrs. Pankhurst die fertige Zeichnung.

»Bio«, sagte Rosie laut.

»Leider.« Kate schüttelte ihre Locken nach hinten.

»Tam hat sich von mir den Stift von meinem Vater geborgt. Ich muss den für die Skizze zurückhaben.«

»Du hast ihr doch nicht etwa den Feinliner gegeben?« Kate sah beleidigt aus. »Doch nicht den berühmten Stift von deinem Vater?«

»Na und? Sie hat ihn doch nur mal ausgeliehen.«

Aus irgendeinem Grund war Rosie ziemlich nervös, als sie sich Tam näherte. Sie kam sich richtig blöd vor. Schließlich war es *ihr* Stift, und Tam musste schließlich damit rechnen, dass sie ihn zurückhaben wollte, oder? Nun mach schon, sagte sie zu sich selbst, geh einfach hin und frag.

Rosie ging also zu Tam. Die saß mit Sophie und Beth an der Schmalseite eines Tisches. Peta Wylie und ein Mädchen aus der dritten Klasse, die Rosie nicht kannte, saßen daneben und hingen an Tams Mund. Anscheinend erzählte sie eine witzige Geschichte. »... und dann knipste ihre Mutter das Licht an und sagte: ›Das ist meine Tochter‹ und dann ...«, sagte sie gerade, und ihr glänzendes schwarzes Haar schwang hin und her, als sie lachte.

Rosie tippte Tam ganz leicht auf die Schulter. Sophie und Beth sahen sie an, als hätte sie eine Konferenz wegen des Dritten Weltkrieges gestört. Dann drehte Tam sich um und warf ihr einen so strahlenden Blick zu, dass sie fast den Grund ihres Kommens vergessen hätte.

»Hallo. Mir ist gerade eingefallen, dass du noch meinen Stift hast.«

Tam sah verblüfft aus, dann antwortete sie: »Ach ja. Warte eine Sekunde.« Sie suchte in ihrem Federmäppchen herum, zog einen Stift nach dem anderen heraus und sah jeden aufmerksam an. Keiner davon gehörte Rosie. Rosie merkte auf einmal, wie ihr Herz bummerte. Plötzlich war es ganz schrecklich wichtig, dass Tam ihren Stift wieder fand. Das hatte etwas mit Freundschaft zu tun, mit Anstand und Vertrauen... und anderen Dingen. Aber Tam suchte immer weiter. Rosie wurde es ganz eng in der Brust und sie wusste mit absoluter Gewissheit, dass ihr Stift nicht da war. *Bitte, bitte*, betete sie, mach dass sie ihn nicht verloren hat, *bitte.* Papa wird sich sonst furchtbar aufregen. Und es bedeutete außerdem... alles mögliche Schlimme...

Da ließ Tam ihr Federmäppchen sinken und schlug sich vor die Stirn. »Oh, nein!«, rief sie. »Jetzt weiß ich's wieder. Ich hab ihn in meinen Tuschkasten gelegt, damit ihm nichts passiert, und dann hab ich gestern Abend noch getuscht und den Kasten vergessen. Er ist zu Hause. Es tut mir schrecklich Leid, Rosie. Ich bring ihn dir morgen wieder mit, ganz bestimmt.«

Rosie fühlte sich, als wäre ein schweres Gewicht von ganz weit oben auf sie runtergefallen. »Aber ich brauch ihn jetzt«, sagte sie. Es hörte sich ganz schwach und jämmerlich an, als bettelte ein kleines Kind um Süßigkeiten.

Tam sah wieder hoch und zeigte beim Lächeln eine Reihe strahlend weißer Zähne. »Ach, zu dumm, natürlich – Bio. He, weißt du was? Ich leih dir solange diesen Filzschreiber, und heute Nachmittag kommst du mit zu mir und dann geb ich dir deinen Stift. Okay?«

Rosie konnte es kaum glauben. Sie war noch nie bei Tam gewesen, obwohl sie sich das Haus in ihrer Phantasie schon so oft ausgemalt hatte, dass sie jedes Zimmer hätte beschreiben können.

»Hm.« Sie nahm den Filzschreiber. »Na gut. Dann bis nach der Schule.«

Sie ging zurück zu Kate und es war ihr, als schwebte sie. Nicht nur wegen der Blicke, die Sophie und Beth Tam zugeworfen hatten, als wollten sie sagen: Und wir!? Aber *sie* waren nicht eingeladen worden, dachte Rosie. Oh, nein.

Kates missmutiges kleines Gesicht starrte zwischen ihren wilden Locken hervor. »Na?«, wollte sie wissen.

»Sie hat ihn zu Hause gelassen. Aber es macht nichts. Sie leiht mir dafür diesen tollen Filzer, der ist genauso gut.«

Auf dem Weg zu Mrs. Pankhursts Fachraum drehte sich Rosie um die eigene Achse, sie konnte einfach nicht an sich halten. »Tam hat mich für heute Nachmittag eingeladen, damit ich ihn wieder kriege.« Sie strahlte.

»Aber du wolltest doch mit mir in die Ballettschule kommen!«

Kate hatte die Hauptrolle in einem Stück, das ihre Gruppe am Ende des Schuljahres aufführen sollte, und Rosie hatte ihr versprochen, bei der ersten Probe zuzuschauen.

»Oh, nein!« Rosie war ganz zerknirscht. »Tut mir Leid, Kate, das hatte ich total vergessen. Aber ich kann doch auch nächste Woche kommen, oder? Das ist doch egal.«

Kate knurrte ganz leise etwas, das sich wie »nöissesnich« anhörte. Rosie lächelte und versuchte sich bei ihr einzuhängen, aber Kate hielt ihren Arm steif nach unten gestreckt und marschierte eilig weiter. Rosie wurde von Schuldgefühlen überwältigt. Sie rannte hinter Kate her, sprang auf und ab wie ein Gorilla und schnitt blöde Grimassen. »Iek, iek, iek!«, kreischte sie.

»Albern«, brummte Kate, aber ein winziges Lächeln kräuselte ihren Mundwinkel, und so sehr sie sich auch anstrengte, sie konnte es nicht unterdrücken. Es weitete sich zu einem breiten Grinsen, und als Rosie immer wilder auf und ab hopste, wurde es zu einem lauten Lachen.

»Du bist echt *albern*!« Sie knuffte Rosie in den Arm. »Na gut, dann kommst du eben nächste Woche mit. Aber diesmal versprichst du es mir auf ehrlich und dass du tot umfällst, wenn du dein Wort nicht hältst.«

»Iek, iek!«, quietschte Rosie.

5

Rosies Skizze war kein Erfolg. Sie war in ihren Gedanken mit ganz anderen, wunderbareren Dingen beschäftigt als der Osmose der Kartoffel. Die sah mit dem dicken Filzstift gezeichnet sowieso mehr aus wie der Krieg der Killerspinnen. Rosie war ganz hingerissen von den vielen Wurzeln, die nun ein Gewirr von Schlangenlinien bildeten. Als Mrs. Pankhurst zu Rosies Tisch kam, hatte sie die Augenbrauen zu ihrem bevorzugten sarkastischen Gesichtsausdruck hochgezogen und gemurmelt: »Hm und dabei hatte es anfangs doch so vielversprechend ausgesehen ...«

Um halb fünf wartete Rosie vor dem Tor, ließ ihre

Mappe hin- und herschwingen und genierte sich ein bisschen. Schließlich sollte es nicht aussehen, als wäre sie ganz wild auf die Verabredung. Sie hätten sich lieber in der Garderobe treffen sollen, aber jemand hatte Tam auf dem Flur abgefangen, um sie etwas wegen der Party zu fragen, und da wäre sie sich beim Herumstehen zu blöde vorgekommen. Kate war zu ihrer Ballettstunde gesaust und hatte Rosie noch »Viel Glück!« zugerufen, was Rosie erleichtert registriert hatte, denn das bedeutete, dass zwischen ihnen alles wieder in Ordnung war.

Jetzt war es Viertel vor fünf und Tam war immer noch nicht da. Rosie wurde langsam sauer. Es war brütend heiß, die Luft war stickig und sie sehnte sich nach einem kalten Getränk. Die Einzige, die außer ihr noch herumhing, war Tracey Dank, eine lange Bohnenstange aus Rosies Klasse, die sabberte und ständig die Nase hochzog und die ihr eigenes Geschreibsel nicht lesen konnte. Sie lebte in ihrer eigenen Welt, wahrscheinlich weil niemand was mit ihr zu tun haben wollte. Rosie fand das eigentlich ein bisschen traurig. Schließlich konnte Tracey nichts dafür, sie konnte sich ja nur ändern, wenn man mit ihr sprach. Das Schlimme war nur, wenn man ihr auch nur das geringste bisschen Aufmerksamkeit schenkte, hängte sie sich an einen wie ein liebeskranker Rottweiler.

Trotz der schrecklichen Hitze war Tracey angezogen, als wollte sie bei einer Expedition in die Arktis mitmachen. Aus irgendeinem Grund trug sie sommers wie winters mehrere Lagen von Kleidungsstücken. Rosie hatte den Verdacht, dass sie ihre Klamotten nicht wechselte, wenn sie schmutzig waren, sondern dass sie einfach eine neue Lage drüberzog.

Im Augenblick hopste sie auf dem Pflaster auf und ab wie eine verrückt gewordene Puppe. Sie warf Rosie von der Seite Blicke zu, als erwartete sie mindestens eine Einladung zum Tee bei ihr. Endlich hörte Rosie hinter sich schnatternde Stimmen. Es war fast fünf, und Tamara kam atemlos angerannt, Beth und Sophie hinter ihr.

»Oh, tut mir so Leid, Rosie. Ich wurde von denen da drinnen aufgehalten.«

Sophie und Beth verabschiedeten sich von Tam, dann marschierten sie an Rosie vorbei, als wäre sie ein Torpfosten. Tracey Dank hörte urplötzlich auf zu hopsen und starrte Tam an, als wäre die gerade in einem goldenen Wagen vom Himmel herabgekommen. Seltsamerweise starrte Tam eine ganze Zeit lang zurück, dann ergriff sie Rosies Arm und zog sie die Straße entlang.

»Hast du das *gesehen*?«, zischte sie.

»Was?«

»Hast du nicht gesehen, was sie *anhatte*?«

»Ihre rosa Jacke«, sagte Rosie.

»Jaaa«, jammerte Tam. »Aber *drunter*. Drunter hatte sie eine echte, hundert Prozent echte Levisjacke!«

»Wirklich?«

Tam drehte sich um. »Du weißt, wie teuer die sind! Fünfundsiebzig Pfund. Dabei haben die doch gar kein Geld. Die hat sie bestimmt geklaut!«

»Nee«, sagte Rosie. »Das macht die nicht. Das *kann* die gar nicht.«

Tam hob die Augenbrauen, als wüsste sie Dinge, von denen Rosie nicht die leiseste Ahnung hatte. »Also, ihre Mutter hat ihr *nie und nimmer* diese Jacke gekauft. Wo sie doch so dumm ist. Wahrscheinlich glaubt sie, dass die Leute sie damit besser leiden können. Bestimmt denkt sie jetzt, wir kommen alle zu ihr und wollen Modetips.« Tam lachte. Ihr Lachen klang wie Glockengebimmel, hoch und hell. Rosie lachte auch. Aber irgendwie war ihr gar nicht danach.

Tam wohnte in einer breiten Allee am Rande vom Hillingstone Park. Die Sonne knallte immer noch vom Himmel und es war sehr ruhig, nicht wie in der Jenkin Terrace, wo sich der Krach der spielenden Kinder mit dem Verkehrslärm von der Hauptstraße mischte. Bei jedem Haus, an dem sie vorbeikamen, dachte Rosie: Ist es das? Jedes schien ihr noch prächtiger, obwohl sie sich alle sehr voneinander unterschieden.

Das Haus von Tams Eltern stand hinter einer halbkreisförmigen Auffahrt, man konnte also von der einen Seite kommen und nach der anderen wieder gehen. Es gab vorn zwei riesige Erker und dazwischen eine Art

Türmchen. Tam ging um das Haus herum und schloss die Tür auf.

»Hast du einen eigenen Schlüssel?«, entfuhr es Rosie, bevor sie sich bremsen konnte.

»Natürlich, meine Eltern kommen erst um sieben zurück und manchmal sogar noch später.«

Rosie kriegte plötzlich eine Riesenwut auf ihre Mutter. Sie würde ihr nie einen eigenen Schlüssel erlauben, nicht in Millionen Jahren. Es gab einen Reserveschlüssel, der im Garten unter einem Stein versteckt war, aber der war nur für Notfälle. Nun war sie schon zwölf – fast ein Teenager! – und man vertraute ihr immer noch keinen Schlüssel an! Und niemals hätte man ihr erlaubt, allein zu Hause zu bleiben.

Drinnen war es noch schöner, als Rosie es sich vorgestellt hatte. Es gab überall dicke Teppiche und an den Wänden hingen Gemälde und Fotos. In der Küche machte Tam einen riesigen Kühlschrank auf und holte Cola und ein großes Stück Schokoladenkuchen heraus. Dann öffnete sie eine Keksdose.

»Nimm dir, was du willst«, sagte Tam zu ihr. Rosie fühlte sich komisch, sie kam sich ein bisschen wie ein Eindringling vor. Als könnte sich jeden Moment Tams Mutter oder Tams Vater auf sie stürzen und behaupten, sie wäre eine Einbrecherin.

»Wo hast du die Kekse her?« Irgendwie war es nicht richtig, dass sie sich hier einfach bediente, ohne zu fragen.

Eine Stunde später zeigte Tam Rosie noch immer den Inhalt ihres Kleiderschranks. Er war fast wie der aus Rosies Tagträumerei: vollgestopft mit Kleidungsstücken. Rosie lag auf einem großen weichen Kissen auf dem Fußboden, während Tam ein todschickes rotes T-Shirt herausholte und sich vor die Brust hielt.

»Das wollte ich eigentlich zu meiner Party anziehen.« Sie verzog das Gesicht. »Aber irgendwie mag ich's nicht mehr. Na ja, meine Mutter hat sowieso gesagt, ich könnte mir was Neues kaufen. Was ziehst du denn an?«

Rosie seufzte. »Och, ich hab in einer Boutique supertolle Jeans gesehen. Ich hab sie anprobiert und sie sahen spitze aus. Aber ...«

Tam drehte sich um und sah Rosie fragend an.

»... aber meine Mutter sagt, ich hätte genug Klamotten. Das macht mich ganz verrückt. Es ist ja nicht so, dass sie es sich nicht leisten könnte. Ich hab schon alles versucht, um sie rumzukriegen.«

»Eltern sind nervig«, sagte Tamara. »Aber ich hab meine ganz gut im Griff. Ich glaube, sie haben Schuldgefühle, weil sie beide arbeiten. Wenn sie Probleme machen, dann reibe ich ihnen das immer unter die Nase.« Sie setzte sich vor ihren Spiegel und kämmte ihr dichtes glänzendes Haar.

»Meine Mutter war ein berühmtes Model, weißt du, in den sechziger Jahren. Echt berühmt. Sie war mit David Bailey befreundet, dem bekannten Modefotografen. Ihr Bild war mindestens sechsmal auf dem Titelblatt der VOGUE.«

Tamara hob ein schickes buntes Seidentop auf, das aussah, als hätte man viele Schals aneinander gebunden. »Das gehörte mal meiner Mutter. Jetzt, wo die Sechziger wieder modern sind, hat sie's mir gegeben. Sie hat massenhaft tolle Kleider.« Tam hielt das Top vor die Brust. »Wie sehe ich aus?«

Sie braucht wirklich nicht zu fragen, dachte Rosie. Sie kann es ja im Spiegel sehen. Sie sieht einfach toll aus. Rosies Gedanken wanderten weiter. Wenn ich doch nur ein bisschen dünner wäre, wenn ich doch einen neuen Haarschnitt hätte, wenn Mama doch nur eine Minute lang ernsthaft über diese Jeans nachdenken würde...«

Tam sah kühl und erwachsen aus, als hätte sie alles unter Kontrolle. Rosie kam sich neben ihr wie ein großes, zu schnell gewachsenes Baby vor.

»Wie lange ist Kate denn schon deine beste Freundin?«, fragte Tam plötzlich.

»Och, schon seit Urzeiten, fast seitdem wir Babys waren. Wir waren schon im Kindergarten zusammen.«

»Hm. Sie ist ganz nett. Aber ihre Haare! Sie wäre ganz hübsch, wenn sie mal was damit machen würde.«

Rosie fand Kate eigentlich auch so hübsch. Sie mochte ihre verstrubbelten Locken. Aber sie verstand, was Tam meinte: Diese Locken waren doch sehr kindlich.

»Also, was das angeht« – Rosie strich sich ihre dichten blonden Strähnen aus dem Gesicht – »wollte ich mir demnächst mal die Haare schneiden lassen. Ich glaube, dann sehe ich älter aus.«

Aber Tam hatte ihr wohl gar nicht zugehört. Sie betrachtete sich im Spiegel und schleuderte ihr Haar von links nach rechts. Offensichtlich war sie völlig mit sich selbst beschäftigt, die scharfen braunen Augen sahen aus dem Spiegel die echte Tam an, als wollten sie fragen: »Sind wir nicht wunderhübsch?«

Rosie saß einfach still da. Ihr war ein bisschen sonderbar zu Mute, aber es hätte wohl gestört, wenn sie die Stille durchbrochen hätte, und außerdem hätte sie gar nicht gewusst, was sie sagen sollte. Plötzlich war Tam wieder in die Wirklichkeit zurückgekehrt. Sie drehte sich auf dem Stuhl um.

»Du meine Güte!« Sie sah Rosie direkt ins Gesicht. »Denk doch nur mal an Tracey Dank in dieser Jacke! Sie ist einfach widerlich! Hast du schon mal gemerkt, dass sie stinkt? Ich wette, die hat noch nie in ihrem Leben gebadet. Wahrscheinlich haben die in ihrem Haus nicht mal ein Badezimmer. Ich bade jeden Tag. Du nicht?«

»Klar doch.« Rosie kriegte einen roten Kopf.

»Weißt du, ich hab nachgedacht«, fuhr Tam fort. »Mir ist gerade was zu deinen Jeans eingefallen.«

In diesem Augenblick klopfte es und eine Gestalt wie aus einem Traum trat ins Zimmer. Rosie hielt die Luft an, was ungünstig war, weil sie sich gerade einen ganzen Schokoladenkeks in den Mund gestopft hatte. Der klebte jetzt an ihrer Gurgel fest und wusste nicht, ob er nach unten rutschen oder wieder hochkommen sollte. Rosie schluckte einmal kräftig und spürte in ihrer Luftröhre die Anfänge eines schrecklichen Hustenanfalls. Sie holte tief Luft, um den Keks unten zu behalten und merkte, wie ihr Kopf immer röter wurde, wahrscheinlich wurde er langsam schon dunkellila.

Die Traumgestalt war groß, sonnengebräunt und trug zerknitterte Baumwollshorts, ausgelatschte Turnschuhe und sonst nichts. Sie hatte glänzende braune Augen und kurze, dichte schwarze Haare. Mit anderen Worten: Es handelte sich um eine männliche Ausgabe von Tam und sie sah unglaublicherweise fast noch besser aus.

»Hi«, sagte er und warf der lilagesichtigen Rosie einen kurzen Blick zu. Dann knurrte er etwas über Bäder und Haarshampoo in Tams Richtung und verschwand so rasch, wie er gekommen war.

»Das war mein Bruder Adam.« Tam warf ihr Haar lässig zurück. »Er nervt schrecklich.«

Rosie war den Rest des Nachmittags wie betäubt. Das Haus war phantastisch, fast wie verzaubert, voller wunderschöner Dinge in jeder Ecke – manche lebendig und manche nicht. Rosie hätte Tam wahnsinnig gern gefragt, ob Adam auch zu der Party kommen würde, aber da wäre sie sich zu blöd vorgekommen. Schließlich war sie erst knapp dreizehn, ein bisschen rundlich und ein bisschen ungepflegt und hatte sich bis zu diesem Tag überhaupt nicht für Jungen interessiert.

Plötzlich sah sie auf ihre Uhr. Die Zeit war wie im Flug vergangen und es war schon fast halb sieben.

»Ich muss gehen!« Sie sprang auf und dachte an ihre Mutter, die das Abendessen vorbereitete. Gleichzeitig war es ihr irgendwie peinlich und unbehaglich, weil Tam noch keinmal von ihrem Stift gesprochen hatte, obwohl der ja der eigentliche Anlass für ihren Besuch hier war. Als sie ihre Strickjacke anzog, sagte sie: »Ach, mein Stift. Beinahe hätte ich ihn vergessen.«

»Ich auch.« Tam lachte, ging hinüber zu ihrem Tisch und holte den Stift aus einem Federmäppchen. »Da ist er.«

Auf dem Heimweg fummelte Rosie an dem Stift in ihrer Tasche herum, rollte ihn wieder und wieder zwischen ihren Fingern. Dann blieb sie stehen und nahm ihn heraus. Sie wusste auf einmal, warum sie sich so seltsam fühlte. Sie hätte die Kappe gar nicht abnehmen müssen, aber sie tat es trotzdem. Die Spitze war abgebrochen.

Margaret Peck wollte gerade den Tisch decken, als ihre Tochter plötzlich in der Küche auftauchte.

»Oh, Rosie, hast du mich vielleicht erschreckt! Wie war Kates Ballettstunde?«

»Da war ich nicht. Ich bin stattdessen mit Tam zu ihr nach Hause gegangen.«

»Deshalb brauchst du doch nicht so traurig aus der Wäsche zu kucken«, sagte die Mutter. »Oder findest du es einen Abstieg, dass du jetzt wieder in der ollen Jenkin Terrace bist?«

Rosie grunzte und schlurfte schweigend zum Küchenschrank, um die Teller zu holen.

»Heute sind wir zwei allein. Papa muss noch arbeiten.«

Rosie wurde von einer Welle der Erleichterung

durchflutet. Mit einem bisschen Glück war sie schon im Bett, wenn er nach Hause kam und brauchte kein Geständnis abzulegen. Obwohl sie sich so schuldig fühlte, wusste sie nicht mal, ob sie es überhaupt schaffen würde, ihm das zu beichten.

Quietschie-George saß in seinem Hochstuhl, sabberte und zog die Nase hoch, während er gleichzeitig in seinen schmutzigen kleinen Händen Brot zerkrümelte. Er sah Rosie an, spuckte ihr einen dicken Krümel ins Auge und lachte laut los.

»Uh!«, kreischte sie. »Mama, kuck mal, was er gemacht hat! Er ist *grässlich*!«

»Er ist noch ein Baby. Du warst damals genauso schlimm, wenn nicht noch schlimmer. Als wir in Cornwall Ferien machten, bist du einmal unter den Tisch von unserer Vermieterin gekrabbelt und hast eine ganze Schachtel Pralinen verschlungen, die sie von ihrem Sohn zum Muttertag gekriegt hat. Und alles, was du nicht essen konntest, hast du in ihren nagelneuen Teppichboden gedrückt. Du hast das auch noch lustig gefunden und dich wie Bolle amüsiert. Ich wäre vor Scham fast umgekommen! Wir mussten dann auch noch die Reinigung bezahlen.« Rosies Mutter sah ganz wehmütig aus.

Sonst hatte Rosie diese Geschichte immer gern gehört, auch wenn sie sie auswendig kannte, aber heute fand sie sie blöd.

»Weißt du«, fuhr ihre Mutter fort, »kleine Kinder

wissen eben noch nicht, was sie tun. Für die ist alles ein Spiel.«

Das machte Rosie immer wild. Sah denn Mama nicht, dass George *ganz genau* wusste, was er machte? Konnte sie nicht diesen frechen, fiesen Blick in seinen Augen erkennen, der so viel sagen wollte wie: Ach, sieh doch nur, ich bin so klein und niedlich, ich kann mir alles erlauben?

Manchmal hätte sie ihm am liebsten eine gescheuert, aber dann hätte er wahrscheinlich einen Schock bekommen.

Wie sonst auch schluckte Rosie das Gefühl einer Riesenungerechtigkeit herunter und tat so, als wäre er gar nicht da.

»Tam hat auch einen Bruder«, sagte sie wie nebenbei und fügte leise hinzu, »aber das ist ein menschliches Wesen. Haben wir noch heißes Wasser im Boiler? Ich möchte heute baden.«

Mrs. Peck sah Rosie bass erstaunt an. »Aber du hast doch erst gestern geduscht! Also ehrlich, Rosie, ich weiß nicht, was da plötzlich über dich gekommen ist. Es gab mal Zeiten, da brauchte jemand bloß ›baden‹ zu sagen und du hast dich eine Woche lang versteckt.«

»Na ja, ich will ja schließlich nicht stinken, oder?«, fauchte Rosie. Dann sah sie den Ausdruck im Gesicht ihrer Mutter und ging zu ihr hin und nahm sie in den Arm. »Du musst einfach begreifen, dass ich kein Kind mehr bin.« Sie fühlte, wie ihre Mutter weich wurde, und setzte hinzu: »Sie kosten nur neununddreißig fünfundneunzig, weißt du. Ein echtes Schnäppchen.«

Mrs. Peck lachte. »Ab mit dir, Fräulein Heuchel.«

Abends im Bett wälzte Rosie sich ewig von einer Seite auf die andere. Schuldgefühle plagten sie und sie war ganz verwirrt. Tam hatte bestimmt nicht gewusst, dass die Spitze abgebrochen war, sonst hätte sie bestimmt was gesagt, oder? Oder nicht? Aber war ihr der Stift kaputtgegangen? Vielleicht hatte sich ihr Bruder den Stift von ihr gepumpt und die Spitze abgebrochen? Vielleicht hatte Tam ihn fallen lassen und nicht gemerkt, was passiert war? Vielleicht, vielleicht, vielleicht. Jetzt war ihr der ganze wunderbare Nachmittag auf einmal verdorben – aber irgendeine Erklärung musste es doch geben ... bestimmt.

Als sie am nächsten Morgen zur Schule ging, war sie davon überzeugt, dass alles nur ein unglückliches Zusammentreffen war. Die Spitze war eben sehr empfindlich und konnte leicht abbrechen, wenn man sie auf was Hartes fallen ließ. So war das bestimmt passiert. Tam hatte ihn runterfallen lassen und nicht gemerkt, dass er abgebrochen war. Schließlich war es keine große Sache, wenn Tam ihn selber abgebrochen hatte, die besaßen bestimmt wahnsinnig viel Geld, und es war für sie sicherlich nicht schlimm, den Stift zu ersetzen.

Als Rosie am Schultor ankam, ging es ihr schon wieder besser. Sie hatte es sogar geschafft, den unvermeidlichen Zusammenprall mit ihrem Vater aus ihren Gedanken zu verbannen. Ihr würde schon was einfallen.

Wie üblich wartete Kate am Ende der Reihe auf Rosie. Rosie hängte sich bei ihr ein und erzählte ihr von Tams Haus und von Tams Kleidern und von Tams Zimmer. Sie hatte ihr auch schon fast alles über Tams hinreißenden Bruder erzählt, als ihr auffiel, dass Kate kein Wort sagte. Kate hatte ihre Unterlippe ein bisschen vorgeschoben, wie sie es immer machte, wenn sie sauer war.

»Was ist los?«

»Nur, dass ich zufälligerweise gestern den aufregendsten Nachmittag meines Lebens hatte. Und du hast nicht einmal gefragt, wie alles gelaufen ist. Das ist alles. Nichts Wichtiges.«

»Tut mir Leid!« Plötzlich fühlte sich Rosie ganz schuldbewusst. »Wie war's denn? Nun komm schon, erzähl. Ich möchte es wirklich gern wissen.«

Aber statt einer Antwort zog Kate ihren Arm weg und rannte den Flur entlang. Nun musste Rosie allein in die Aula gehen.

Sie blickte sich nach Tam um und sah, dass die am Mittelgang saß. Rosie versuchte ihren Blick auf sich zu lenken, aber Tam drehte sich um und redete mit Sophie und Beth und hatte sie anscheinend nicht bemerkt. Deshalb suchte Rosie sich woanders einen Platz. Zwei Reihen vor ihr saß Tracey Dank. Sie fiel ihr auf, weil sie ein leuchtend blaues Benetton-Sweatshirt anhatte. Rosie wusste, dass die ein Vermögen kosteten und da fiel ihr wieder ein, was Tam gestern gesagt hatte.

Mittags kam sie sich irgendwie komisch vor. Kate tat so, als sähe sie sie nicht, und jedes Mal, wenn sie zu Tam hinüberschaute, war die mit Sophie und Beth tief ins Gespräch vertieft.

Als sie zur Cafeteria ging, überfiel sie ein unbehagliches Gefühl. Neben wem würde sie sitzen? Sonst saß sie immer mit Kate zusammen, und obwohl sie auch mit einigen anderen ziemlich befreundet war, wäre es ihr doch seltsam vorgekommen, wenn sie auf einmal nicht mehr neben ihrer besten Freundin sitzen würde.

Sie sah sich im Saal um. Tam stand allein an der Theke und aß ein Sandwich. Na gut, dachte Rosie. Wahrscheinlich sind wir jetzt richtige Freundinnen, nach dem gestrigen Nachmittag. Sie dachte an die Kekse, Cola und das Gespräch über die Party. Tam war echt *nett* gewesen. Es gab absolut keinen Grund, weshalb sie nicht einfach zu ihr hingehen und hallo sagen sollte. Schließlich war das mit dem Stift ja mittlerweile geregelt. Sie hatte sich doch eine Erklärung ausgedacht. Es musste sich einfach um ein Versehen handeln.

Rosie kaufte sich ein Käsebrötchen und ging langsam zu Tam.

»Hi.«

Tam schleuderte ihr Haar zurück. »Oh, hi. Bist du gut nach Hause gekommen?«

»Klar, alles okay.«

»Hör mal, Rosie, mir ist was eingefallen ...«

In diesem Augenblick tauchte Beth mit zwei Tüten Orangenlimo neben Tam auf. Sie sah Rosie nicht mal an, sondern gab Tam eine und sagte: »Wir sollten uns lieber beeilen, wenn wir noch in die Geschäfte wollen, wir haben nur noch zwanzig Minuten Zeit.«

Rosie sah nach unten. Sie konnte nicht anders. Beth trug ein Paar supertolle neue rot-schwarze Nikes. »He, Beth, Spitzenschuhe«, bemerkte sie. »Hast du die neu?«

Beth drehte sich um. Sie maß Rosie mit einem Blick, als wollte sie sagen: Wer bist du denn und was willst du überhaupt?

»Ja. Sie sind aus Stoff und Leder. Neuestes Modell.«

Dann ergriff sie Tams Arm und zog sie zur Tür. Kurz bevor sie hinausgingen, drehte Beth sich noch mal um und sah auf Rosies Füße. Rosie folgte ihrem Blick. Sie merkte, wie sich eine heiße Röte von ihrem Hals über ihren Kopf ausbreitete. Ihre grässlichen alten Pumas waren total ausgelatscht und längst aus der Mode.

Doch da drehte sich auch Tam noch mal um und bedachte Rosie mit einem schiefen Grinsen. Rosie grinste ebenfalls und winkte.

Wir *sind* Freundinnen, dachte sie. Beth ist wahrscheinlich nur eifersüchtig, weil Tam mich gestern eingeladen hat. Trotzdem ...

Rosie aß ihr Brötchen weiter und sah sich in der Cafeteria um. Das unbehagliche Gefühl kam wieder. Was sollte sie jetzt tun? Das Blöde mit einer besten Freundin ist, dass alle sofort merken, dass was nicht stimmt, wenn man einmal nicht zusammensitzt.

Als sie hinaus in den Flur ging, überlegte sie, ob sie nach draußen gehen und sich allein auf den Rasen setzen sollte. Sie konnte »Stolz und Vorurteil« weiterlesen, weil sie das gerade in Englisch durchnahmen. Dafür, dass die Autorin schon zweihundert Jahre tot war, gefiel ihr das Buch ganz gut. Sie konnte auch in die Bibliothek gehen und Illustrierte lesen. Keins von beidem erschien sehr verlockend. Dann sah sie, dass die Tür vom Zeichensaal offen stand. Schließlich konnte sich doch niemand daran stören, wenn sie ein bisschen malte? Sicher würde das kaum jemanden wütend machen, wo sie schon aus eigenem Antrieb etwas für die Schule tat. Wahrscheinlich war so was in dieser Schule noch nie vorgekommen.

Rosie suchte sich ein paar Blätter Papier und fing an zu zeichnen. Sonst zeichnete sie nicht gern Leute, aber wie mit Zauberhänden war auf einmal eine Balletttänzerin entstanden. Eine Ballerina mit zerzausten schwarzen Locken und langen, geschmeidigen Gliedern, die eine Art Arabesque vollführte. Dann zeichnete sie ein Mädchen mit Mondgesicht und verstrubbelten blonden Strähnen, die auf einem Stuhl saß und tieftraurig aussah. In der Sprechblase vor ihrem Mund

stand: »Ich wünschte, ich könnte das auch.« Rosie faltete das Blatt zusammen und schrieb »Entschuldigung« darauf. Während sie das machte, wurde ihr klar, wie schrecklich Leid ihr alles tat. Auf gar keinen Fall und überhaupt nicht wollte sie, dass Kate durch ihre Schuld traurig war.

Zehn Minuten dauerte die Mittagspause noch und Rosie rannte blitzschnell in die Cafeteria zurück. Kate saß ganz allein da und las oder tat zumindest so, als würde sie mit gesenktem Kopf lesen, so dass die Locken fast das Buch verdeckten. Rosie fühlte sich hundsmiserabel. Wie hatte sie nur *vergessen* können, sich nach der Ballettstunde zu erkundigen? Das war ein wichtiger Tag für Kate gewesen und sie hatten seit Wochen darüber geredet. Schlimm genug, dass sie nicht dabeigewesen war, aber dass sie dann noch nicht mal gefragt hatte ...

Sie holte tief Luft, ging hin und setzte sich neben Kate.

»'tschuldigung. Es tut mir ehrlich Leid. Ganz in echt.«

Schweigen.

»Was liest du denn da?«

Ohne den Kopf zu heben, drehte sich Kate abrupt weg. »Geht dich gar nichts an.«

»Es tut mir Leid«, wiederholte Rosie. »Du weißt doch, dass du meine beste Freundin bist. Bitte verzeih mir, bitte, bitte, bitte. Das hier hab ich für dich gemacht.«

Rosie legte das zusammengefaltete Blatt vor Kate auf den Tisch. Irgendwie fand sie es jetzt ziemlich blöd, noch dazu, wo Kate es nicht hochnahm, sondern nur dasaß und es anschaute.

»Zu deiner nächsten Probe komme ich, Ehrenwort. Und zur übernächsten und zur überübernächsten. Wenn du willst, komm ich zu jeder Probe, die du in deinem Leben noch haben wirst. Ich werde dich wahnsinnig machen, weil ich immer noch dahocke, auch wenn du schon reich und berühmt und im Royal Ballett bist und vor der Königin tanzen darfst oder so, sitze ich da und kuck dir zu. Du wirst noch Bodyguards brauchen, um mich loszuwerden ...«

Von Kate kam ein schnaubendes Geräusch. Rosie war sich nicht sicher, ob es ein Lachen oder ein Weinen war. Aber dann entwischte Kate ein hohes Kichern und sie drehte sich um und sah Rosie direkt in die Augen.

»Och, *du*! Bloß weil du mich immer zum Lachen bringst. Wehe, du kommst nächste Woche nicht! Sonst passiert was! Ehrlich, Rosie, machmal frag ich mich, ob du nicht eine Meise hast!«

6

An diesem Abend versteckte Rosie den Stift ihres Vaters in der Schublade unter ihrer Unterwäsche, weil sie ihm erst mal lieber noch nichts davon sagen wollte. Schließlich war der Stift durch sie kaputtgegangen, und bis ihr Vater sich irgendwann daran erinnerte, war ihr bestimmt schon eine gute Ausrede eingefallen.

Jetzt dauerte es nur noch zwei Wochen bis zu der Party. Sie hatte das Datum auf dem Küchenkalender rot angestrichen und jedes Mal, wenn ihr Blick darauf fiel, wurde sie von einer Panikwelle erfasst.

Sie *musste* diese Jeans einfach haben. Warum sah

ihre Mutter das nicht ein? Seltsamerweise tauchte bei dem Gedanken an die Jeans jedes Mal ein ganz bestimmtes Bild vor ihren Augen auf. Das Bild von einer schlanken braun gebrannten Person in zerknitterten Shorts, die sich an einen Türrahmen lehnte und sagte: »He, haben wir uns nicht schon mal gesehen? War das nicht in Tams Zimmer? Aber irgendwie siehst du heute ganz anders aus.« Je länger sie über die Jeans nachdachte, desto deutlicher wurde dieses Bild, bis ihre Gedanken nur noch ein Wirbel aus Jeans und Shorts und Wut und Enttäuschung waren, dass ihre ach so liebe Familie nicht einsah, wie wichtig gutes Aussehen war.

»M-a-ma«, heulte Rosie nach dem Abendbrot.

»Egal, worum es geht, ich sage nein! Ich hab einen anstrengenden Tag hinter mir und bin jetzt nicht in der Stimmung für jaulende Töchter.«

»Dann eben nicht!« Rosie war beleidigt.

Später lag ihre Mutter auf dem Sofa vor dem Fernseher. Rosie brachte ihr eine Tasse Tee und auf einem Teller zwei Schokoladencrisps.

»Na so was.« Ihre Mutter war kurz vorm Einschlafen. »Womit hab ich denn das verdient?«

»Och, weil du doch so einen anstrengenden Tag hattest, dachte ich, das würde dich freuen.«

»Hm, das ist aber nett von dir.« In Mrs. Pecks Stimme war nur ein winzig kleiner Anflug von Argwohn zu hören. »Vielleicht machst du auch den Abwasch, damit ich mich noch mehr freue. Oder du putzt den Herd!«

Rosie lachte. Dann – nach einer kleinen Pause –, legte sie los: »Mama, du kennst doch Beth Franklin?«

»Mmmmm?«

»Die hat neue Turnschuhe, solche Nikes. Leder und Stoff in Rot-schwarz. Das neueste Modell. Die sind supertoll.«

»Mmmmm.«

»Toll!«, sagte Rosie begeistert. »Rot und schwarz. Die sehen vielleicht klasse aus! Wahrscheinlich hat sie sie für Tams Party gekriegt. Viele aus meiner Klasse haben neue Sachen.«

»Mmmmm.«

»In echt. Na ja, und da hab ich mir überlegt, weil – du weißt doch, ich sollte eine neue Jacke für die Schule bekommen, aber ehrlich gesagt, die alte passt mir noch ganz prima! Bestimmt kann ich die noch ein Jahr lang anziehen. Und in vier Monaten ist doch mein Geburtstag, und wenn wir das Geld für die Jacke zu dem tun, was du für meinen Geburtstag ausgeben willst, dann müsste das doch für die Jeans reichen. Sie kosten nur neununddreißig fünfundneunzig und es ist eine Spitzenqualität. Sie halten bestimmt jahrelang« – Rosie verschluckte sich fast – »und ich brauch dann auch für Ewigkeiten nichts Neues mehr«, kam sie atemlos zum Ende ihrer Rede. Jetzt war es raus. Alles klang vernünftig und planvoll, und jede liebende, nette Mutter mit klarem Kopf musste doch einsehen, dass das alles Hand und Fuß hatte.

Mrs. Peck stieß einen tiefen, müden Seufzer aus. »Rosie, Rosie. Na gut, ich kaufe also ein paar Wochen lang nichts mehr zu essen, wir lassen den Boiler nicht reparieren, wir tun einfach so, als hätte Papa schon sein Weihnachtsgeld, und wir nehmen Georgie aus seinem Spielkreis. Dann, tja, dann könnte ich mir vielleicht einen hübschen Pelzmantel leisten, damit ich nicht erfriere, wenn wir zu Hause rumsitzen und verhungern.«

Rosie merkte, wie sie vor Wut einen knallroten Kopf kriegte.

»Es tut mir Leid wegen den Jeans, Rosie, ehrlich. Aber du musst endlich mal kapieren, dass Geld nicht auf Bäumen wächst. Wir haben eben nur so und so viel zum Ausgeben und vierzig Pfund sind *eine Menge* Geld. So, und jetzt will ich nichts mehr davon hören.«

»Du bist gemein!«, schrie Rosie. »Wir sind nicht arm. Warum können alle anderen neue Klamotten kriegen, bloß ich nicht? Weil du *fies* bist und *egoistisch*. Beths Eltern sind auch nicht reich, aber sie kriegt supertolle neue Schuhe ...« Rosie war aufgestanden, ganz rot im Gesicht. Ihre Wut war so riesengroß, dass sie kaum noch Luft bekam. Mrs. Peck blickte ihre Tochter verdutzt an. Sogar Quietschie-George sah erschrocken aus. Zu Rosies Glück war ihr Vater im Garten.

»Jetzt reicht's aber!«, brüllte Mrs. Peck. »Ich weiß

nicht, was in dich gefahren ist, Rosie, ich weiß es wirklich nicht. Geh jetzt in dein Zimmer und zum allerletzten Mal: ICH WILL NICHTS MEHR VON JEANS ODER TURNSCHUHEN ODER BETH FRANKLIN ODER TAMARA PRINCE HÖREN!«

Rosie saß vor dem Spiegel und betrachtete ihr tränenverschmiertes Gesicht. In einem Anfall von blinder Wut verstrubbelte sie ihre Haare und streckte sich die Zunge raus. Zwischen ihren Augen saß ein kleiner Schmerz, ein erster Anflug von fürchterlichen Kopfschmerzen. Draußen brauste der Verkehrslärm. Rosie kam es vor, als donnerten Zehntonnenlaster mitten durch ihren Kopf. Sie gab Georges Wiege einen Tritt, dann warf sie sich aufs Bett und zog die Decke über den Kopf. Wahrscheinlich werde ich *ersticken*, dachte sie. Wahrscheinlich *sterbe* ich. Aber es war ihr egal.

7

Am Freitag saß Rosie nach der Schule in der Turnhalle und sah Kate beim Tanzen zu. Sonst gingen sie freitags immer in den Park, aber heute hatte Rosie Kate als Ausgleich für die verpasste Probe vorgeschlagen, sie sollte ihr doch mal ihr Solo vortanzen.

Kate hatte ihre widerspenstigen Haare zu einem Pferdeschwanz zusammengebunden und trug ihren Gymnastikanzug und Leggins. Weil sie ihre Ballettschuhe nicht dabeihatte, tanzte sie mit nackten Füßen.

Es gab zwar keine Musik, aber Kate hatte die wohl gar nicht nötig. Sie sprang und drehte sich und trippelte in vollendetem Rhythmus, und manchmal erklärte sie Rosie, was die eine oder andere Schrittfolge bedeuten sollte.

Rosie war wie verzaubert. Sie hatte gar nicht geahnt, dass Kate so gut war. Kate sah so hübsch und ernsthaft aus, dass Rosie von einer Welle von Zuneigung überflutet wurde, fast als wäre Kate ihre Schwester. Sie war überhaupt nicht eifersüchtig. Rosie hatte keine Ballettfigur, früher mal, als sie noch klein war, hatte sie ein paar Stunden Ballettunterricht gehabt und sich dabei zu Tode gelangweilt. Sie war mehr eine Sportlerin als eine Tänzerin. Als Kate fertig war, klatschte Rosie wie verrückt Beifall. »Zugabe! Zugabe!«, schrie sie.

Kate wurde vor Freude ganz rot. »Findest du, ich mach das gut?«

»Du bist supertoll! Es wundert mich kein bisschen, dass du die Rolle gekriegt hast! Ich wünschte, ich könnte auch irgendetwas so gut.«

»Och, sooo gut bin ich gar nicht.« Kate sprang auf und drehte eine Pirouette nach der anderen, dann stolperte sie absichtlich. »Siehst du? Manchmal verlier ich total die Kontrolle!«

Rosie stand auf und fing an herumzuhampeln. »Das ist der *Pas de Dödel*«, rief sie, streckte den Po heraus und stampfte plattfüßig über den Boden. »Dödel, dödel!«

»Du bist vielleicht albern!« Kate lachte laut heraus. »He, schau mal, Rosie, hier.«

Bald konnten die beiden Freundinnen sich kaum

noch einkriegen. Sie ließen sich auf den Boden fallen, rollten hin und her und platzten fast vor Lachen. Plötzlich ging die Tür auf und Miss Taylor, die Sportlehrerin, streckte ihren Kopf herein. Sie war eine von den Lehrerinnen, die keinen Spaß verstanden.

»Was ist denn *hier* los?«, meckerte sie. »Das sieht ja wohl nicht nach Ballettstunden aus! Raus mit euch beiden! Und das nächste Mal werde ich es mir sehr überlegen, ob ich euch noch mal allein in die Turnhalle lasse!«

Sie gingen zuerst in ihren Klassenraum, um ihre Sachen zu holen. Zu ihrer Überraschung entdeckte Rosie Tam am Tisch von Tracey Dank. Beim Anblick der beiden fuhr sie zusammen.

»Oh, hallo«, sagte Tam. »Ihr seid spät dran. Ich bin noch mal wegen meinem Federmäppchen zurückgekommen. Blöde Mathehausaufgaben!« Sie lächelte Rosie lieb und freundlich an. »Na, kommt schon! Hauen wir ab.«

Auf dem Weg über den Schulhof redete Tam von ihrer Party. Es sollte eine richtige Disco mit einem echten DJ geben und bei gutem Wetter würden sie im Garten grillen. »Ich hab noch mal nachgedacht wegen deiner Jeans, Rosie. Ist ja echt schade. Aber ich hab einen Einfall. Ich muss nur noch mal drüber nachdenken.«

»Tja, sieht nicht so aus, als würde meine Mutter ihre Meinung da noch mal ändern«, sagte Rosie. »Da müsste schon ein Wunder oder so was Ähnliches geschehen. Sie kapiert es einfach nicht. Sie gibt das Geld lieber für Möbel und für Schulklamotten aus.«

Tam und Kate stöhnten voller Mitgefühl.

Tam sah Rosie an. »He, kannst du dich noch an das rote T-Shirt erinnern, das ich dir gezeigt hab? Das kann ich dir borgen, wenn du willst. Ich hab mich daran über gesehen. Außerdem hat es mir nie richtig gut gestanden.«

Rosie blieb die Spucke weg. »In echt?«, fragte sie ungläubig. »Meinst du das im *Ernst*? Das wäre *super*!« Schon sah Rosie sich als Dame von Welt in dem glänzenden roten T-Shirt durch den Garten schweben.

»Da ist doch nichts bei! Und wenn mein Plan klappt, dann kriegst du vielleicht auch noch deine Jeans.«

»Erzähl schon, was meinst du damit?«, bettelte Rosie. »Ich hab doch nur noch eine Woche Zeit und ich müsste rechtzeitig meine Mutter in die Mangel nehmen.«

Tam lächelte. »Mein Plan hat nichts mit deiner Mutter zu tun. Ich verrate ihn dir am Montag.«

Sie waren an der Kreuzung angekommen.

»Sie ist *echt* nett.« Rosie sah Tam nach, wie sie in Richtung Hillingstone davonschlenderte. »Ich kann es immer noch nicht glauben, dass sie mir das rote T-Shirt borgen will – es ist toll!«

»Ich weiß bloß nicht, warum sie so geheimnisvoll tut.« Kate war ein bisschen verschnupft. »Wenn sie angeblich weiß, wie du an die Jeans rankommst, warum sagt sie es dir dann nicht?«

»Vielleicht muss sie noch an dem Plan feilen. Und außerdem will sie es ja am Montag sagen. Komm, du Primaballerina, wer ist zuerst an der Ampel?«

8

Am Samstagmorgen saß Rosie am Frühstückstisch und stippte sorgsam eine Toastscheibe in ihr weiches Ei. Quietschie-George in seinem Stühlchen manschte mit dem Löffel in seinem Brei herum, während er aus voller Lunge »Bäh! Bäh! Bäh!« sang. Das machte Rosie total verrückt. Sie kapierte nicht, warum ihre Mutter nicht endlich merkte, wie grässlich er sich immer benahm. Dauernd warf er Sachen um, spuckte aus, was er im Mund hatte, machte seine Spielsachen kaputt, doch Rosies Mutter fuhr einfach in ihrer Arbeit fort, drehte sich manchmal um und hob etwas auf, nahm etwas weg oder wischte ihm das Gesicht ab.

Rosie starrte ihn wütend an und streckte ihm die Zunge raus. George machte ein Trollgesicht und äffte sie nach, dabei zeigte er eine Zunge, auf der ein undefinierbarer Brei lag.

Unglücklicherweise drehte Mrs. Peck sich genau in diesem Augenblick um.

»Rosie, was machst du da? Wenn du dich schrecklich benimmst und keine Manieren hast, ist das noch lange kein Grund, so was George beizubringen. Lass das sofort sein!«

Sie hob den Troll aus seinem Stühlchen, wischte sein Gesicht ab und redete mit einer Singsangstimme auf ihn ein, die Rosie partout nicht leiden konnte. Dann setzte sie ihn auf die Erde und er torkelte umher und warf alles um. Mama merkte das nicht mal. In diesem Haus herrschte einfach keine Gerechtigkeit. Überhaupt keine.

Samstagvormittag ging Rosies Mutter immer einkaufen, und wenn der Vater wie heute arbeitete, dann ging Rosie mit. Es war jedes Mal ein schrecklicher Kampf mit Bussen, dem Kinderwagen und schweren Tüten. Rosie hasste das Einkaufen. Ihre Aufgabe bestand darin, Quietschie-George vor Kinderräubern zu beschützen, während ihre Mutter von einem Geschäft ins andere flitzte. Es war stinklangweilig. Und sie konnte sich ohnehin nicht vorstellen, warum irgendjemand ihren Bruder stehlen wollte. Gab es wirklich so total bekloppte Leute auf der Welt, die unbedingt von einem dicken kleinen Ekelpaket zum Wahnsinn getrieben werden wollten? Während Mrs. Peck sich mit der anstrengenden Aufgabe beschäftigte, George für diesen Bummel vorzubereiten, saß Rosie oben in ihrem Zimmer und machte sich fertig. Sie probierte ihre blauen Leggins an und betrachtete sich aus jedem nur möglichen Blickwinkel. Die waren ihr doch wirklich *viel* zu klein. Ihr Po stand raus und ihre Beine sahen viel zu dick aus. Das sah doch *jeder*. Dann versuchte sie es mit den Shorts und einem übergroßen, schlabberigen T-Shirt. Aber darin kam sie sich wie eine Fünfjährige auf einem Strandausflug vor, es fehlten nur noch Eimerchen und Schippe.

Eine halbe Stunde später verlor Mrs. Peck langsam die Geduld. Manchmal sehnte sie sich regelrecht nach der Rosie aus früheren Zeiten zurück. Nach dem zerzausten kleinen Mädchen, das man auf Knien anbetteln musste, damit sie sich was Sauberes anzog, wenn man aus dem Haus ging. Das man zum Waschen zwingen musste und nur durch Bestechung dazu bringen konnte, dass es sich mal kämmte.

Endlich stürmte sie nach oben, um nach dem Rechten zu sehen.

Rosie stand vor ihrem Spiegel, hatte die Haare zu einem Pferdeschwanz gebunden, trug ein Paar verblichener, geblümter Leggins, und ihr rot-weiß gestreiftes T-Shirt war unter einer Fliegerjacke verschwunden.

»Aber draußen ist es brütend heiß, du Dussel«, sagte Mrs. Peck.

»Du wirst darin braten.«

»Ich muss sie aber anziehen«, erwiderte Rosie. »In dem T-Shirt ist ein Loch.«

»Aber nur ein ganz kleines, das merkt schon keiner, zum Donner.«

Rosie wollte gerade was sehr Schlaues vom Stapel lassen, etwas über Armut und Familienschande, aber sie biss sich auf die Zunge. Sie verfolgte einen anderen, viel ausgeklügelteren Plan.

Als sie sich mit den Taschen und dem Buggy durch die Haustür zwängten, sah Rosie ihre Mutter an. *Musste* sie denn dieses alte ausgeblichene T-Shirt und diese schlabberigen Shorts tragen? Und um den Kopf hatte sie einen bunten Schal mit Zickzackmuster gebunden, was Rosie total albern fand. Darunter stand ihr Haar nach allen Seiten ab, als wäre sie ein wildgewordener Handfeger.

»Mama...«, jammerte sie. Aber als Mrs. Peck ihr einen ihrer Blicke zuwarf, die »Beherrsch dich lieber« bedeuteten, änderte sie ihre Absicht. Tja, dann musste sie eben zehn Schritte hinter ihrer Mutter herlatschen und so tun, als gehörten sie nicht zusammen.

Zwei Stunden später hatten sie die Hälfte der Supermarktvorräte aufgekauft und schleppten sie in vier bleischweren Einkaufstüten mit sich herum. Nun wollten sie nur noch in der Einkaufspassage ein paar letzte Kleinigkeiten besorgen, wie Mrs. Peck das nannte. Schließlich erreichten sie die Kreuzung, wie Rosie vorausgesehen hatte, und sie nahm Plan B in Angriff.

»Mama«, Rosie zog sie am Ärmel, »ich möchte mir hier gern was anschauen.«

»Na, dann los. Wir warten auf dich.«

»Nein, ich möchte gern, dass du mitkommst«, bat sie. »Es dauert nur einen Moment, komm doch mit, *bitte*!«

Zwei Minuten später standen Rosie und eine verschwitzte, wütende und genervte Mutter an der Kleiderstange in einem Jeansladen. Während Quietschie-George an einem Jackenknopf knabberte, hielt sich Rosie ein bildhübsches Paar Jeans in Größe zehn vor den Bauch und legte alles, was sie zu bieten hatte, in den sehnsüchtigsten, verzweifelt bittenden Blick, den sie jemals jemandem zugeworfen hatte.

»Mama, sieh doch mal! Genau richtig! Passen wie angegossen! Ich hab sie anprobiert und sie waren wie für mich gemacht. Sie kosten nur neununddreißig fünfundneunzig, das ist echt nicht zu viel. Ich kann sie unten säumen und, wenn ich größer bin, den Saum wieder rauslassen. Das ist doch wirklich ein Schnäppchen! Die halten *jahrelang*. Ach, *bitte*!«

Eine Sekunde lang sah es so aus, als schwankte ihre Mutter. Sie war müde, und unter der Wucht dieses heißen Wunsches einer Zwölfjährigen hätte sie beinahe nachgegeben. Sie war erschöpft vom Einkaufen und wollte alles so rasch wie möglich hinter sich bringen. Die Vorstellung, eine launische, beleidigte Tochter auf dem Nachhauseweg hinter sich herzuzerren, gefiel ihr gar nicht. Die Spannung war unerträglich. Rosie hatte Angst, sie würde platzen. Aber dann holte die Mutter tief Luft.

»Nein, Rosie.« Sie seufzte. »Ich habe Nein gesagt und dabei bleibt es. Wenn ich jetzt nachgebe, dann kommen als nächstes die Turnschuhe. Und dann... weiß der Himmel, was noch alles. Vierzig Pfund sind vierzig Pfund. Das ist eine Menge Geld und meiner Meinung nach viel zu viel für ein Paar Jeans. Nun komm schon, wir müssen weiter.«

Rosie wusste, dass sie verloren hatte. Ihre Mutter drehte den Buggy mit George um und eilte aus dem Laden. Rosie zockelte hinterher. Auf ihrem Gesicht lag der unendlich tragische Ausdruck von jemandem, dem Unrecht geschah, der eines vernachlässigten Kindes. Ach, alles war so schrecklich ungerecht!

Kurz darauf rannten sie den Bürgersteig entlang und suchten nach einem Unkrautvertilger für den Vater, als Rosie urplötzlich stehen blieb. Voller Entsetzen sah sie, dass ihr schlimmster Alptraum gerade Wirklichkeit wurde.

»Schnell, versteck dich!«, schrie sie, schnappte die Mutter hinten am T-Shirt und zog sie in den Eingang zu einer Drogerie. Völlig überrumpelt ließ Mrs. Peck

TESCO

Georges Buggy los und knallte mit dem Arm gegen eine Riesenzahnbürste, die für eine neue Zahnpasta warb. »Was, zum Teufel…«

Aber es war zu spät.

»He, Rosie!«, rief Tam.

Einen Augenblick lang hoffte Rosie, dass ein Wunder geschehen, der Boden vor ihr sich öffnen und sie verschlingen würde oder ihre Mutter und George plötzlich auf das Raumschiff Enterprise gebeamt würden.

Aber Tamara kam auf dem Gehweg direkt auf sie zu, in der Hand die leuchtend blaue Tüte von einer Nobelboutique.

»Hi.« Rosie lächelte schwach. »Warst du einkaufen?«

»Klar. Ich hab mir was für die Party gekauft. Sieh mal, ist das nicht einfach wahnsinnig?« Sie fischte aus der Tüte ein T-Shirt in Neonblau mit einem tiefen Rückendekolletee. Von so was konnte Rosie nur träumen.

»Jetzt suchen wir noch Schuhe«, fuhr Tam fort. »Aber ich finde keine, die mir gefallen. Na ja, am Ende werde ich wohl doch nach London fahren müssen.«

Dann – falls das überhaupt noch möglich war – wurde es noch schlimmer. Eine bildschöne, todschicke Frau in schwarzen Hosen schien aus dem Nichts hinter Tam aufzutauchen und schwebte majestätisch über ihr.

»Das ist meine Mutter«, sagte Tam.

Genau in diesem Moment tauchte Rosies Mutter aus

dem Eingang auf. Sie war hochrot im Gesicht und sehr, sehr zornig.

Rosie stand wie angewurzelt und lächelte krampfhaft.

»Also, mein Fräulein ...«, fing Mrs. Peck an.

Es gab kein Entkommen. Entweder sie wurde wie eine Dreijährige ausgeschimpft und unendlich gedemütigt ... oder sie gab zu, dass diese verstrubbelte, wütende Frau ihre Mutter war. Vielleicht konnte sie wenigstens Georges Existenz geheim halten. Solange er den Schnabel hielt, konnte sie so tun, als gehörte er nicht zu ihnen.

»Mama, das ist meine Freundin Tam« – sie wedelte mit der Hand – »und das ist ihre Mutter«, fügte sie finster hinzu.

»Ach? Na, da freue ich mich aber, dass ich dich endlich kennen lerne, Tam. Ich hab schon so viel von dir gehört. Und Sie sind Mrs. Prince ...« Mrs. Peck streckte die Hand aus und schüttelte die von Mrs. Prince. Rosie hätte dieser grässlichen Situation den Tod fast vorgezogen. Genau in diesem Moment war George es Leid, dass sich keiner um ihn kümmerte. Er ließ einen markerschütternden Schrei los.

»Oh, ist das Ihr Kleiner?« Mrs. Prince beugte sich über George und lächelte. »Ach, ist der *süß*!«

George hatte jetzt endgültig die Nase voll. Er warf seine Flasche in hohem Bogen aus dem Buggy. Um ein Haar hätte er die makellose Hose von Mrs. Prince getroffen.

»Ach, herrje«, sagte Mrs. Peck. »Das tut mir Leid. Sie wissen ja, wie die Kleinen in dem Alter sind. Sie können einen so schrecklich in Verlegenheit bringen.«

Mrs. Prince lächelte schwach. Tam setzte ein kleines, schiefes Lächeln auf. Mrs. Peck gab einen erstickten kleinen Lacher von sich. Rosie stöhnte – ein riesiges, unhörbares Stöhnen – und spürte, wie die Röte an ihrem Hals hochstieg und sich wie ein Blitzsonnenbrand auf ihrem Gesicht ausbreitete.

Den ganzen Weg zur Bushaltestelle stapfte Rosie wütend hinter ihrer Mutter her.

»Warum musstest du auch *so was* sagen!«, murrte sie, als sie sich so weit beruhigt hatte, dass sie wieder sprechen konnte.

»Was hab ich denn gesagt?«

»Du weißt schon: *das.*« Sie imitierte die Stimme ihrer Mutter: »›Ich hab so viel von dir gehört.‹ Das hört sich ja an, als ob ich nur noch von ihr reden würde. Wie *konntest* du nur!«

»Also, was mich angeht, redest du ja auch nur noch über sie. Ich habe nur die Wahrheit gesagt.« Mrs. Peck schickte einen Blick nach oben. »Der Himmel ist mein Zeuge! Ich darf wohl nicht mal mehr meinen Mund aufmachen.«

»Was sie *jetzt* bloß von mir denken wird!«, stöhnte Rosie und hätte fast losgeheult.

»Willst du wissen, was *ich* denke? Ich finde, sie ist eine verwöhnte kleine Göre und kann Kate nicht das

Wasser reichen, und auch dir nicht, wenn ich es mir recht überlege. Auch wenn du dich momentan so aufführst, dass man dir einen alten Stinkstiefel vorziehen würde.«

»Du kennst sie ja gar nicht! Du hast ja gar keine Ahnung!«

George war wie immer auf dem Heimweg eingeschlafen. Sein rundes kleines Gesicht sah aus wie das eines Engels, bis auf einmal eine Riesenrotzblase in seinem Nasenloch auftauchte und langsam zu seinem offenen Mund runterlief.

»Igitt!« Rosie drehte sich weg und ging extra langsam, bis ihre Mutter und George ein Stück Vorsprung hatten.

»Ich werde nie Kinder kriegen«, schwor sie sich.

Als ihr Vater am späten Nachmittag von der Arbeit kam, kniete er sich in den Garten und beäugte etwas in einem Blumenbeet.

»Was machst du da?«, erkundigte sich Rosie.

»Mein Rittersporn!«, knurrte ihr Vater, ohne sich auch nur umzudrehen. »Diese widerlichen kleinen Schleimbeutel haben ihn einfach aufgefressen! Kaum zu glauben. Gestern waren hier noch vier allerliebste kleine Knospen und jetzt? Nichts mehr, nicht mal ein Blatt, kein Stiel, gar nichts. Sie haben alles ratzekahl leer gefressen. Hol mir das Gift! Ich erkläre hiermit den Krieg!«

»Aber Papa«, wandte Rosie ein. »Du kannst doch die Schnecken nicht einfach vergiften ... das ist *Mord*!«

»Was? Das kann ich nicht, meine Süße? Na, das werden wir ja sehen! Wenn die meinen, sie können durch meinen Garten rutschen und fressen, worauf sie grad Lust haben, dann werden sie ihr blaues Wunder erleben! Mir wäre es ja egal, wenn sie hinter den Wildkräutern her wären, aber nein, das sind echte Feinschmecker! Diese hübschen, zarten, *teuren* Pflanzen hatten kaum die Zeit, ein paar Wurzeln zu schlagen – da werden sie von einem solchen Schleimbeutel – ZACK! – einfach umgebracht! Meine Güte, wie können die bloß in einer einzigen Nacht so viel fressen – das muss ja ein ganzes Schneckengeschwader sein ...«

Irgendwie wusste Rosie genau, dass das jetzt nicht der richtige Zeitpunkt war, um ihren Vater mit etwas zu behelligen. Aber er hatte in letzter Zeit so oft noch bis spät gearbeitet, dass sie ihn kaum gesehen hatte.

»Papa?«

»Ja, meine einzige Tochter? Willst du mir deine Hilfe anbieten? Dann kümmer dich doch mal um diese hundsgemeine Brombeere, die gerade die Clematis erwürgt. Du musst sie ausgraben, sonst kriegst du sie nicht aus dem Boden. Du lieber Himmel, wie will man bloß einen halbwegs anständigen Garten anlegen, wenn einem die schönsten Pflanzen von diesen Schleimbeuteln weggemümmelt oder von diesen wuchernden Mistbrombeeren erdrosselt werden.«

Er stieß seine Schippe in die Erde und grub aus, was von den Ritterspornwurzeln noch übrig war. Dann sah er sie niedergeschlagen an.

»Also eigentlich schon, Papa, aber es gibt in einer Minute Abendbrot. Sonst würde ich ja gern …« Und plötzlich hatte sie eine Eingebung.

»Papa … ich hab eine Idee. Du wolltest doch immer da hinten das überwucherte Beet umgraben. Und da hab ich mir gedacht, das könnte ich für dich tun. Ich könnte das als bezahlte Arbeit machen. Weißt du …« Als sie erst einmal losgelegt hatte, gab es für Rosie kein Halten mehr. Ihr Spitzeneinfall kam nur so aus ihr herausgesprudelt. »… du brauchst doch Hilfe im Garten und ich brauche Geld. Verstehst du, ich *muss* einfach diese Jeans haben. Sie sind echt toll, einfach superspitze. Und nächstes Wochenende ist doch Tams Party und *alle* kriegen deshalb neue Klamotten, Kate und die anderen, und ich hab nur meine blöden, alten blauen Leggins, und die sind mir *viel* zu klein. Ich brauch nur neununddreißig Pfund fünfundneunzig. Das ist ein richtiges Schnäppchen, denn Wranglers kosten mindestens siebzig Pfund. Dafür verspreche ich dir, dass ich jeden Samstag arbeiten werde, bis wir wieder quitt sind. Du könntest mir zum Beispiel fünf Pfund jeden Tag bezahlen, sagen wir mal für vier Wochen, und ich würde ranklotzen! Ich brauche es aber als Vorschuss, weißt du, weil die Party schon am nächsten Wochenende ist, und ich hab nicht mehr viel Zeit. Aber ich könnte doch

gleich morgen anfangen, ja? Was hältst du davon? Hört sich doch gut an, was Papa?«

Mr. Peck sah seine einzige Tochter an. Er sah ein rundes, glänzendes Gesicht, das vor lauter Sehnsucht und Hoffnung ganz rot geworden war.

»Rosie, Rosie.« Er seufzte. »Ich hab keine vierzig Pfund übrig. Wenn ich sie mal bloß hätte. Und es ist eine Menge Geld für ein einziges Paar Jeans. Vierzig Eier! Meine Güte. Verlangen sie heute, dass die Leute so viel dafür hinblättern?« Er stand auf und klatschte sich auf den Po. »Die haben im Kaufhaus nur neunzehn Pfund neunundneunzig gekostet. Tut mir Leid, Schätzchen. Da musst du wohl bis Weihnachten warten. He, hör mal, weißt du was?«, fuhr er fort, als er Rosies tieftrauriges Gesicht sah. »Warum hilfst du mir morgen nicht auch so? Ich zahl dir dann was, wenn du mir bei dem Urwald da hinten unter die Arme greifst. Na? Außerdem siehst du auch so toll aus, genau wie deine Mutter. Du bist bestimmt die Krönung vom Fest, ganz egal, in welchen Jeans.«

»R-O-S-I-E!«, ertönte die Stimme von ihrer Mutter am Küchenfenster.

Es war Zeit fürs Abendbrot.

»Danke. Eigentlich lieber nicht, danke, Papa.«

9

Am Montagmorgen sauste Rosie wie gewöhnlich in letzter Sekunde zur Schule. Sie hatte das Gefühl, sie müsste Tam so bald wie möglich sehen, um herauszukriegen, ob das Zusammentreffen mit ihrer schrecklichen Familie ihre Freundschaft ein für alle Mal zerstört hatte. Den ganzen Sonntag hatte sie sich deshalb den Kopf zerbrochen. Tam war vielleicht ein bisschen überheblich, aber sie war echt nett und großzügig, und warum sollte sie Rosie zum Vorwurf machen, dass sie einen wild gewordenen Handfeger als Mutter und einen Ekel erregenden Fettfleck als Bruder hatte? Tam mochte sie bestimmt um ihrer selbst willen leiden. Aber obwohl Rosie sich das alles genau überlegt hatte, war sie doch überrascht, als sie durch das Schultor ging und Tam sofort auf sie losstürzte und in die Ecke beim Fahrradschuppen zog.

»Ich hab es jetzt genau ausgetüftelt, es ist wahnsinnig! Ein Megawitz! Und du kriegst deine Jeans. Wir müssen nur noch die Einzelheiten klären.«

Tams Gesicht glühte vor Aufregung. Ihre Augen strahlten, sie sah unglaublich hübsch aus. Ihre Erregung war ansteckend. Rosie fühlte eine große Welle der Freude in ihrer Brust aufsteigen. Sie war jetzt auch ganz aufgeregt und fühlte sich geschmeichelt, dass Tam sich ihr zuliebe einen so tollen Plan ausgedacht hatte.

»Was ist denn? Ich kann es kaum erwarten!«

Tam ergriff Rosies Arm. »Am Freitag war ich gar nicht wegen meinem Federmäppchen zurückgekommen. Ich wollte mir mal den Tisch von der stinkigen Tracey genauer ansehen, um sicher zu gehen, dass ich mich nicht geirrt hatte. Und da fand ich den Beweis. Sie *hat* geklaut! Unter ihren Büchern war ein Etui mit einer Armbanduhr und ein paar Kleideretiketten, die sie abgeschnitten hat. Sie klaut Klamotten und bringt sie in die Schule, bevor sie sie anzieht, damit ihre Mutter nichts davon mitkriegt! Das ist doch genau richtig!«

Rosie war verdutzt. »Das kapier ich nicht.«

»Dussel!« Tam lachte. »Ist doch sonnenklar. Wir werden Tracey dazu bringen, dass sie die Jeans für dich klaut. Ganz einfach. Sie kann das bestimmt klasse, weil sie bei den vielen Sachen noch nicht erwischt worden ist.«

Rosie blieb die Spucke weg. An so etwas hatte sie nun überhaupt nicht gedacht. Sie hatte gehofft, Tam hätte sich eine Supermethode ausgedacht, wie Rosie ihre Mutter zum Nachgeben bringen könnte.

»Och, ich weiß nicht«, sagte sie leise. »Ich weiß nicht, wie ich das finden soll.«

»Du weißt was nicht? Aber das ist doch einfach super! Wir gehen hinter ihr her und schauen zu, damit sie es auch ganz bestimmt macht. Du hast doch keinen Schiss, oder?«

»'türlich nicht.« Doch Rosies Magen drehte sich dauernd um wie eine Betonmischmaschine.

Tam legte den Arm um sie. Rosie ließ sich von dieser freundschaftlichen Wärme beinahe überzeugen. Wenn sie so ein gewaltiges Geheimnis miteinander teilten, dann waren sie doch bestimmt richtige Freundinnen? Die Schulglocke läutete. Rosie war völlig aufgewühlt von den vielen verschiedenen Gefühlen, die in ihrem Bauch umherzappelten. Dann fiel ihr ein Haken an der Sache auf und sie verspürte fast so was wie Erleichterung.

»Aber warum sollte sie das tun? Vielleicht gibt sie nicht mal zu, dass sie die anderen Sachen geklaut hat.«

»Kein Problem. Ich werde sie dafür zur Party einladen. Da kann sie bestimmt nicht widerstehen!« Tam wirbelte herum. »Nach der Mittagspause kriegen wir sie auf dem Sportplatz zu fassen. Sie hängt da immer allein herum.«

Dann stellten sie sich bei den anderen auf. Doch anstatt zu Sophie und Beth zu gehen, blieb Tam bei Kate und Rosie und plapperte fröhlich über die Party. Ihr Bruder Adam würde ein paar von seinen Freunden einladen, und ihre Mutter hatte eine bunte Beleuchtung für den Garten bestellt, wo die Lichter dauernd an- und ausgingen. Und eine Riesentorte würde es geben ...

Rosie drehte sich der Kopf. Sie wusste nicht, ob das Gefühl in ihrem Magen Freude war oder nackte Angst.

Als sie endlich in die Aula kamen, verschwand Tam.

»Was wollte sie denn?«, fragte Kate. »Warum tut sie so wahnsinnig geheimnisvoll?«

»Och, nichts«, sagte Rosie. »Nichts Wichtiges.«

In der letzten Stunde vor der Mittagspause hatten sie Musik. Sie beschäftigten sich da gerade mit dem Song »The Fool on the Hill« von den Beatles, irgend so einer uralten Band von anno dazumal. Tam sang ein Solo. Sie hatte eine wundervolle, klare, hohe Stimme, fast wie ein Chorknabe, und Rosie hörte ihr sehr gern zu. Heute sang sie besonders schön und Rosie war richtig stolz darauf, dass sie Tams Freundin war. Das musste man sich nur mal vorstellen: Was für ein Riesengeheimnis sie miteinander hatten.

Kurz vor halb eins wurde sie langsam nervös. Ihr war auch ein bisschen schwindelig. Doch als Tam nach der Stunde zu ihr kam und sie wieder am Arm nahm, schien alles in bester Ordnung. Schließlich war es ja nicht Rosies Einfall. Tam würde das alles machen. Rosie wäre nur eine Art Zuschauerin.

In der Cafeteria musste Rosie immer zu Tracey hinüberschauen. Sie saß allein an einem Tisch, ihr blauer Benetton-Pullover war mittlerweile ausgeleiert und bekleckert. Kate warf Rosie ständig seltsame Blicke zu. »Warum glotzt du dauernd Tracey Dank so an?«, fragte sie dann.

»Ich glotze sie überhaupt nicht an!«, fauchte Rosie. »Ich hab nur gerade an was gedacht.«

»Du bist in letzter Zeit ziemlich merkwürdig. Du bist *anders* als sonst.«

Nach dem Essen saßen Rosie und Kate meistens auf dem Rasen, spielten Doofen-Netzball auf dem Spielfeld oder bummelten durch die Einkaufspassage, wenn sie Geld hatten. Heute zerbrach sich Rosie den Kopf, wie in aller Welt sie Kate das alles erklären sollte. Wie sollte sie Kate klarmachen, dass Tamara und sie selbst mit der grässlichen Tracey reden mussten, mit der nie jemand freiwillig sprach? Sie hatte keine Ahnung, wie sie das fertig bringen sollte, ohne dass Kate höchst misstrauisch wurde. Ein paar Minuten nachdem sie sich hingesetzt hatten, kam Tam herüberspaziert und setzte sich zu ihnen.

»Rosie«, fing sie an, »könntest du mir mal bei was

helfen? Ich brauche deinen Rat.« Sie lächelte Kate süß an. »Es dauert nur eine Sekunde.«

Rosie sah zu Kate hinüber. Sie konnte genau sehen, wie der bekannte Schatten über deren braune Augen glitt. »Es macht dir doch nichts aus? Ich bin gleich wieder da.«

Kate zuckte mit den Achseln und beugte sich vor, um ein Buch aus ihrer Mappe zu holen. »Bis später dann.«

Tam griff wieder nach Rosies Arm, so fest, dass es fast wehtat. Auf eine stille, intensive Art schien sie sehr erregt. Tracey Dank stand bei dem Gebäudeteil für Naturwissenschaften, die Haare hingen ihr übers Gesicht, und sie aß etwas aus einer zerknautschten Plastiktüte.

»Jetzt«, flüsterte Tam. »Überlass alles mir.«

Sie zog Rosie über den Platz. Sie musste sie ziehen, denn irgendwie konnte Rosie nicht richtig laufen. Es war so, als hinderte sie plötzlich ein Widerstand am Gehen, ihre Beine waren wie aus Gummi und ihr Herz wummerte wie ein Schnellzug.

Tam zerrte Rosie hinter die Mauer. Als sie nicht mehr gesehen werden konnten, ging es Rosie ein bisschen besser. Nun war es nicht mehr so, als müsste sie beim leisesten Geräusch aus dem Häuschen geraten.

»He, Tracey!«, zischte Tam hinter der Mauer. »Komm mal her.«

Ein langes, blasses Gesicht erschien an der Ecke. Tracey sah nicht erstaunt aus, das wäre eine Untertreibung gewesen. Die Augen fielen ihr förmlich aus dem Kopf und mit den vollgestopften, kauenden Backen sah sie wie ein verdatterter Hamster aus.

»Wer? Ich?«, quetschte sie heraus.

»Ja, *du*«, sagte Tam. »Oder gibt's hier noch eine andere Tracey hinter der Ecke?«

Traceys Körper war ihrem Kopf gefolgt und nun stand sie da und zappelte seltsam herum. Sie sah ganz verwirrt und verirrt aus. Rosie fühlte sich äußerst seltsam.

»Hör mal genau zu«, sagte Tam scharf. »Wir wissen, dass du klaust. Okay? – Okay.«

Tracey schwieg. Sie starrte Tam nur an, als wäre sie ein Wesen aus dem All.

»Nee«, sagte sie schließlich.

»Na, komm schon«, Tam runzelte die Stirn. »Du brauchst nicht zu lügen. Ich hab dich gesehen. Und ich hab die Sachen unter deinem Tisch gefunden. Komm schon, du kannst es jetzt ruhig zugeben.«

»Und wenn?«, fragte Tracey. »Aber ich hab *nicht* geklaut. Und was geht dich das an?«

»Also, Tracey, Rosie möchte gern, dass du ihr einen Gefallen tust, nicht wahr, Rosie?«

Rosie war wie erstarrt. Noch nie in ihrem Leben hatte sie so etwas Scheußliches getan, und irgendwie hatte sie sich eingeredet, dass sie hierbei keine Schuld traf, solange sie schwieg. Ganz egal, worum es ging.

Tams Augen funkelten vor Erregung. Tracey verlagerte ihr Gewicht unbehaglich von einem Fuß auf den anderen und zerknüllte die Plastiktüte in ihrer Faust.

»Also, hör zu«, sagte Tam. »Es ist nämlich so, dass Rosie ein Paar Jeans braucht. Ganz bestimmte Jeans. Und sie möchte gern, dass du sie für sie besorgst. Weil sie weiß, wie gut du Sachen *besorgen* kannst und dass sie sich auf dich verlassen kann.« Tam beugte sich vor und legte eine Hand auf Traceys Arm.

Bis jetzt hatte Tracey vor lauter Überraschung noch gar nicht ganz begriffen, dass die tolle und wunderbare Tamara Prince sich tatsächlich mit ihr unterhielt. Aber dieser plötzliche Beweis von Freundlichkeit überraschte sie total. Es war wie ein Wunder.

»Äh, weiß nich.« Tracey grinste ein bisschen.

»Also«, sagte Tam, »willst du zu meiner Party kommen, ja oder nein? Du könntest da doch zum Beispiel deinen tollen Benetton-Pullover anziehen. Na, willst du?«

Tracey schaute Tam ungläubig an. Sie zog eine lange schlaffe Haarsträhne in den Mund und kaute darauf herum.

»Ich? Zu deiner Party? Ehrlich?«

»Nur, wenn du Rosie die Jeans besorgst. Das ist die Abmachung. Okay?«

»Wo wohnsten?«

»Nein, nein. Erst, wenn du es gemacht hast. Wie soll ich sonst sicher sein, dass du nicht kneifst? Mach es am Samstag. Wir treffen uns in der Stadt und sagen dir,

was du machen sollst. Wäre besser, wenn du deswegen den Mund hältst. Okay? Sonst kriegst du Ärger.«

»Hm, ja, okay«, murmelte Tracey und lutschte an ihrem Haar. »Mach ich.«

»Wär besser für dich«, wiederholte Tam. Wieder griff sie nach Rosies Arm und zerrte sie weg. Sie rannten schnell zurück über den Platz zum Rasen und ließen sich niederfallen. Tam lachte los. Das liebliche, wohlklingende Geräusch löste bei Rosie ein seltsames Gefühl aus. Rosie war nicht zum Lachen zu Mute. Tam versetzte ihr einen freundschaftlichen Rippenstoß und sah sie eindringlich an. »Wir haben's geschafft, Rosie! Wir sind hin und haben es gemacht! Ich wusste, sie würde mitmachen. Das wird echt spitze. Richtig aufregend. Und für uns ist es überhaupt nicht gefährlich. Wir kucken nur zu.«

Rosie sah nach unten.

»He, komm schon, lach mal! Du wirst toll aussehen – stell dir nur vor: mein rotes T-Shirt und diese Jeans!«

Rosie sah auf. »Meinst du wirklich?«

»Klar doch! Du kannst dich bei mir umziehen, wenn du willst. Ich helf dir auch beim Make-up. Das wird klasse.«

Rosie legte sich rücklings ins Gras. Sie hatte Kate ganz vergessen. Sie hatte auch Tracey Dank fast vergessen. Sie dachte an Samstagabend, an Adam, an die bunten Lichter und den Garten und wie sie in Tams Zimmer war und sich fertig machte.

An diesem Abend saß Familie Peck am Tisch und aß Lasagne und Salat. Auf ihrem Nachhauseweg von der Schule hatte es einen kurzen Schauer gegeben und Rosie war von Kopf bis Fuß nass geworden. Aber sie hatte sich nicht die Mühe gemacht und sich umgezogen, und jetzt fühlte sie sich durchgeweicht und unbehaglich und hatte schlechte Laune. Sie stocherte im Essen herum und starrte geistesabwesend aus dem Fenster. Rosies Mutter sah ihre Tochter besorgt an.

»Nun komm schon, Rosie, iss auf. Das ist doch dein Lieblingsessen.«

»Ich hab keinen Hunger«, stöhnte Rosie, »und außerdem hast du selbst gesagt, dass ich dick bin.«

»Das hab ich überhaupt nicht gesagt«, erwiderte die Mutter. »Du bist doch nicht dick, du Dusselchen. Du bist für dein Alter genau richtig.«

»Was? Dick?« Der Vater riss die Augen auf. »Meine süße kleine Schnuckelbiene! Mein kleines Zuckertönnchen! Du bist doch nicht *dick*, du bist eine große, allerliebste Schmusemaus!« Und er streckte den Arm aus und zog Rosie auf seinen Schoß.

»Ach, hört doch auf, ihr beide!«, rief die und warf beim Aufspringen beinahe ihren Vater mitsamt seinem Stuhl um. »Und ich bin kein Tönnchen, damit du Bescheid weißt!«

»Oh, ich bitte vielmals um Verzeihung! Ich hatte das nicht gemerkt. Ich dachte, du wärst mein allerliebstes Zuckertönnchen, das jeden Abend mit mir schmusen wollte. Das nie ins Bett ging, wenn ihr oller Papa es nicht einmummelte. Tja, tut mir Leid. Ich hab wohl einfach nicht mitgekriegt, dass du plötzlich eine vornehme Dame geworden bist, die sich mit so einfachen Leuten nicht mehr abgibt. Jetzt weiß ich gar nicht, was ich machen soll. Was tu ich nur, wenn kein Zuckertönnchen mich ab und zu in die Arme nimmt?« Er sah mit einem so tieftraurigen Gesicht auf seine Lasagne runter, dass Rosie einfach grinsen musste. Papa war bisweilen wirklich ein großer, lieber Quatschmacher.

»Ach, *du*!« Sie schubste ihn liebevoll. Aber bevor sie ihm entwischen konnte, hatte er sie gepackt und drückte sie so fest, dass sie keine Luft mehr bekam. Ihr Vater war ja manchmal ziemlich übergeschnappt, aber er hatte auch seine guten Seiten. Zum Beispiel hatte er offensichtlich seinen Stift vergessen.

10

Am Mittwoch kam Rosie wie versprochen zu Kates Probe. Kate tanzte wunderbar und Rosie war sehr stolz auf ihre beste Freundin. Kate bewegte sich sehr anmutig, und wenn sie sich so ganz auf ihre Figuren konzentrierte, sah sie sehr ernsthaft und erwachsen aus.

Hinterher gingen sie zusammen einen Kaffee trinken. Sie nannten das Kaffee, aber in Wirklichkeit trank Rosie eine Cola und Kate einen Milchshake. Dabei unterhielten sie sich über die Party.

»Soll ich dich abholen kommen?«, fragte Kate. »Ich würde lieber zusammen mit dir hingehen.«

Rosie bekam einen knallroten Kopf. Daran hatte sie überhaupt noch nicht gedacht. Wie sollte sie Kate nur beibringen, dass sie sich erst bei Tamara umziehen würde? War das wichtig? Doch, es war wichtig, sie musste das jetzt bloß richtig in den Griff kriegen.

»Oh, das wäre toll! Aber ich muss schon viel früher zu Tam gehen, weil ich doch von ihr das rote T-Shirt kriege, weißt du noch?«

Kate sah vor sich auf den Tisch, ihre Locken fielen nach vorn und verbargen ihr Gesicht.

»Was ist denn los?« Rosie war unbehaglich zu Mute.

»Nichts«, murmelte Kate.

»Na, dann kannst du mich doch auch ankucken!«

Kate sah hoch. Sie sah aus, als würde sie im nächsten Augenblick losweinen.

Rosie fühlte sich hundsmiserabel. Ganz tief drinnen wusste sie, gleich nachdem sie es ausgesprochen hatte, dass Kate verletzt war. Umgekehrt wäre sie selbst bestimmt genauso getroffen gewesen. Schließlich hatten sie immer alles gemeinsam unternommen. Ach, es war schrecklich – jetzt war alles immer so schwierig und so verworren.

»Ich zieh mich doch nur um! Wenn du dann kommst, sind wir ja zusammen.« Rosie hätte Kate am liebsten angeschrien, auch wenn sie nicht wusste, warum. Irgendwie brodelte es einfach in ihr. Kate schwieg, aber sie sah zur Seite, um Rosies Blick auszuweichen.

»Schließlich ist es ja von Tam unheimlich nett, dass sie mir das T-Shirt leiht, und ich konnte ja wohl schlecht Nein dazu sagen. Deshalb bist du aber noch immer meine beste Freundin, das weißt du doch«, fügte Rosie dann etwas freundlicher hinzu.

Kate sah Rosie an. »Wirklich? So kommt es mir aber nicht vor. Neuerdings bist du dauernd mit ihr zusammen, ihr flüstert miteinander rum und tut so, als hättet ihr ein großartiges Geheimnis miteinander.«

Wenn du wüsstest, dachte Rosie bei sich. In ihr kämpften sehr widerstreitende Gefühle miteinander – einmal war da die Loyalität Kate gegenüber und dann die Bewunderung für Tam und ihre Welt, die sie ganz eingeschüchtert hatte.

»Hör mal, Kate. Wenn du wirklich willst, dass wir zusammen hingehen, dann tun wir das auch, ehrlich. Ich mach mir gar nicht so schrecklich viel aus dem roten T-Shirt, in echt. Wenn du möchtest, dann gehen wir da zusammen hin. Mir ist das recht. Das kannst du mir glauben.«

»Ach, du«, sagte Kate leise. »Nö, so wichtig ist das nicht, nehm ich an. Es wäre sowieso nicht mehr so wie früher.«

Irgendwie hatte Rosie geahnt, dass Kate so was sagen würde.

Der Rest der Woche zog in einer Art Nebel an ihr vorbei. Tam war wie üblich umschwärmt von anderen

Mädchen, einmal von denen, die eingeladen waren und mit ihr darüber reden wollten, und dann von denen, die nicht eingeladen worden waren, aber auf eine Einladung in letzter Minute hofften, wenn sie sich nur genug lieb Kind bei ihr machten.

Kate spürte, dass irgendwas nicht in Ordnung war, aber sie fragte nicht nach. Seit dem Gespräch am Mittwoch gab es zwischen ihnen eine Spannung, und obwohl Rosie sich viel Mühe gab und extra nett zu Kate war, stand zwischen ihnen eine Art unsichtbare Mauer.

Ab und zu warf Tam Rosie einen verschwörerischen Blick zu. Aber je näher der Samstag heranrückte, desto mieser fühlte sich Rosie. Am Montag war der Samstag noch so weit weg erschienen, und es sah fast aus, als würde er nie herankommen! Es war beinahe so wie mit dem Stift ihres Vaters – wenn er ihn nicht zurückhaben wollte, konnte sie ihn einfach vergessen.

Und nun war morgen schon Samstag. *Morgen.* Am Nachmittag war Rosie so abgelenkt, dass sie in Englisch kein Wort von Mrs. Bernard mitbekam, und dabei war Englisch eins ihrer Lieblingsfächer. Sie sah ständig nur Traceys dummes Gesicht und wie sie vertrauensvoll zu Tam hinüberblickte. Und wenn jetzt irgendwas schief ging? Wenn sie erwischt wurden? Wenn die *Polizei* gerufen wurde?

Rosies lebhafte Phantasie sah schon das Polizeiauto vor ihrem Haus in der Jenkin Terrace halten. Sie stellte sich das erschreckte, tieftraurige Gesicht ihrer Mutter vor, während sie selbst mit Handschellen in die Küche geführt wurde, wo ihr Vater stumm dastand und nicht glauben wollte, dass seine kleine Schnuckelbiene eine *Verbrecherin* war.

Als es klingelte, hörte sich das für sie an wie die Glocke zum Jüngsten Gericht. Es gab kein Entrinnen. Rosie hatte gehofft, dass Tam die ganze Angelegenheit vielleicht vergessen hätte, dass möglicherweise der ganze Vorbereitungstrubel für die Party sie von dem Vorhaben abgebracht hatte – aber nein! Als sie aus dem Klassenraum ging, nahm Tam sie am Arm und flüsterte ihr ins Ohr: »Wir müssen noch das mit der Dank klären. Warte draußen auf mich, dann knöpfen wir sie uns vor.«

Rosie brachte Kate gegenüber eine schwache Entschuldigung vor: Sie müsste noch was holen, was sie in der Turnhalle vergessen hätte. Dann gab sie ihr ein Küsschen auf die Wange und schwatzte noch ein bisschen mit ihr darüber, wann sie sich bei der Party treffen würden. Niemals hatte sie ihre Freundin mehr geliebt als in dem Moment, als sie sie nun in kerzengerader Haltung die Straße hinunter weggehen sah. Am liebsten wäre sie hinter ihr hergelaufen und hätte Kate die ganze schreckliche Sache gebeichtet. Doch da tauchte schon Tam neben ihr auf.

Beth und Sophie folgten ihr und als Tam rief: »Tschüss, wir sehen uns dann bei der Fete«, kam es Rosie so vor, als wechselten die beiden seltsame Blicke miteinander, so als wollten sie gemeinerweise sagen: Wir wissen, was ihr vorhabt. Wahrscheinlich würde es sowieso bald die ganze Schule erfahren. Wie wollte Tam sonst die Anwesenheit der unbeliebten Tracey auf ihrer Party erklären?

Tam und Rosie standen am Schultor und warteten auf ihr unglückliches Opfer. Tracey war immer die Letzte. Nach fünf Minuten kam sie durch die Tür geschlurft und zog ihre Mappe hinter sich her. Die Schnürsenkel von ihren ausgelatschten Schuhen waren offen und schleiften auf dem Boden, die Haare hingen ihr in fettigen Strähnen ins Gesicht und was man davon erkennen konnte, war das übliche dumme Grinsen.

»He da«, rief sie fröhlich.

»Gut, komm mit«, sagte Tam und führte sie in eine Nebenstraße, die am Schulhof vorbeiging.

»Hör mal gut zu, Tracey!«, zischte sie und sah sich um, ob auch ja niemand in Hörweite war. »Wir treffen uns um drei vor C & A, klar? Um Punkt drei.«

»Klar.«

»Die Jeans, die Rosie will, gibt es im Levi's-Shop, stimmt's, Rosie?«

»Ja, aber ...«

»Wir gehen erst mit dir zusammen rein und zeigen dir, welche wir wollen. Okay? Dann warten wir draußen und kucken, ob du es auch machst. Okay?«

»Jaaa. Wann ist denn die Party?«

»Nein, nein.« Tam schüttelte den Kopf. »Das sag ich dir erst, wenn du es gemacht hast. Dann kriegst du eine richtige Einladung.«

»Okay, aber du musses mir echt versprechn. Ich mach's nur deshalb.«

»Natürlich versprech ich das!«, zischte Tam. »Punkt drei vor C & A. Sei bloß pünktlich!«

Dann schnappte sie Rosies Arm und zog sie über die Straße. An der Kreuzung verabschiedeten sie sich voneinander.

Nun ist es passiert, dachte Rosie, während sie sich nach Hause schleppte. Nun gab es kein Zurück mehr.

Beim Abendbrot war die Mutter überzeugt davon, dass Rosie magersüchtig wurde. Die ganze Woche schon hatte sie nur in ihrem Essen herumgestochert, und obwohl es heute Abend Schokoeis – Rosies absoluten Lieblingsnachtisch – gab, hatte sie kaum einen Blick darauf geworfen. Aber vielleicht, dachte die Mutter, ist sie auch noch immer wegen der blöden Jeans so beleidigt. Sie würde mal sehen, wie es nach dieser berühmten Party weiterging. Was Mrs. Peck betraf – die war heilfroh, wenn diese Party endlich vorbei war.

An diesem Abend lag Rosie noch sehr lange wach. Alles war jetzt so kompliziert. Früher hatte sie sich einfach an ihren großen Teddy gekuschelt und war sanft eingeschlummert. Doch das klappte nicht mehr. Neuerdings passierten so viele unangenehme, *schwierige*

Dinge, als steckte sie ständig in irgendwelchen Kämpfen. Als sie schließlich einschlief, hatte sie einen grässlichen Traum. Zwei riesengroße Polizisten begleiteten sie nach Hause und sie trug *Handschellen*.

»Herr und Frau Peck?«, fragte der eine.

Ihre Mutter sah so aus, als wäre sie zu Tode erschrocken, ja, als fiele sie gleich in Ohnmacht. Der Vater lief zu ihr, um sie zu stützen.

»Ja, wir heißen Peck«, stammelte er. »Was ist mit

meiner Kleinen passiert? Hat ihr jemand wehgetan? Den bring ich um!«

»Ist das Ihre Tochter Rosie Marigold Peck?«, fragte der Polizist weiter und kümmerte sich gar nicht um die ängstlichen Fragen des Vaters.

»Ja, das ist unsere Süße. Was ist passiert? Armes Schätzchen!«

»Herrrm, tja, also ich muss Ihnen leider mitteilen, dass sie in ein *schlimmes* Verbrechen verwickelt ist«, sagte der zweite Polizist. Es betrifft den Diebstahl von einer Jeans im Levi's-Laden in der Einkaufspassage. Leider muss sie mit uns zur Wache kommen, wir brauchen ihre Fingerabdrücke – Sie verstehen schon. Danach kommt sie wahrscheinlich ins *Gefängnis*. Es waren nämlich ziemlich *teure* Jeans, müssen Sie wissen – im Wert von neununddreißig Pfund fünfundneunzig, eine ganz beachtliche Summe, wie sie mir sicherlich zustimmen werden.«

Rosies Mutter schlug die Arme vor die Brust. »Neununddreißig Pfund fünfundneunzig!«, schrie sie. »O nein! Hätte ich ihr doch das Geld gegeben! Nur neununddreißig Pfund fünfundneunzig! Wenn ich das von meinem Haushaltsgeld genommen hätte, dann müsste meine Kleine nicht ins Gefängnis. Oh, diese Schande! Was wird nun aus uns werden? Unser guter Name – jetzt ist er von einem Verbrechen befleckt! Und was für eine Zukunft wird unser armer Georgie jetzt noch haben, mit einer Straffälligen als Schwester!«

Rosies Vater schluchzte. »Neununddreißig Pfund fünfundneunzig!«, jammerte er. »Wenn ich doch bloß nicht die Ritterspornpflanze gekauft hätte, die dann doch nur von diesen widerlichen Schnecken weggefressen wurden. Wenn ich die nicht gekauft hätte, dann hätte ich *wenigstens etwas* zu den Jeans beisteuern und mein Schätzchen vor diesem schrecklichen Schicksal bewahren können! Sie ist eigentlich ein braves Mädchen, Herr Wachtmeister. Wirklich, das müssen Sie mir glauben! Wir haben einfach nicht begriffen, *wie* schrecklich wichtig für einen Fastteenager solche Dinge sind, dass sie diese tolle Jeans einfach ganz *dringend* braucht …«

Aber der Vater konnte bitten und betteln – er hatte keinen Erfolg. Einer der Polizisten schritt zur Verhaftung. Er wies sie auf ihre Rechte hin und dass nun alles, was sie aussagte, gegen sie verwendet werden konnte. Dann legte er eine schweißfeuchte Hand auf ihre Schulter und griff fest zu, eine sehr feuchte Hand …

Rosie wachte auf und sah Quietschie-George über sie gebeugt. Er hielt ihre Schulter mit seiner klebrigen, fettigen Hand fest. In der anderen befand sich ein Stück gebutterter Toast.

»Mama Fühtück!«, quietschte er und klatschte Rosie das Toaststück ins Gesicht, bevor er in kreischendes Gelächter ausbrach.

Rosie war schlecht. Dieser grässliche Traum hing

wie ein bleischweres Gewicht über ihr. Sie gab Georgie einen fiesen Schubs. »Ach, hau schon ab!«, fuhr sie ihn an. Er war der letzte Mensch, den sie jetzt sehen wollte.

11

Rosie saß im Nachthemd in der Küche und aß ihren Toast. Der erste Bissen schmeckte wie Pappe und klebte in ihrem Hals fest, bevor er als Klumpen schmerzhaft tiefer rutschte. Ihr war, als müsste sie sich übergeben.

Die Mutter warf ihr einen besorgten Blick zu. »Ist auch alles in Ordnung, mein Schatz? Du bist nicht krank oder so?«

»Nein, mir geht's gut!« Rosie sah ihre Mutter böse an, damit die endlich mit dem Kümmern aufhörte. »Ich hab heute nur keine Lust auf Toast, das ist alles.«

Aha, dachte die Mutter. Sobald diese Party vorbei

ist, werde ich mit diesem Kind mal vernünftig reden müssen. Meine Tochter wird jedenfalls nicht magersüchtig, dafür werde ich schon sorgen!

Das Wetter war wieder schön und die Sonne schien. Eigentlich war es sogar ein besonders schöner Tag – mit einem strahlend blauen Himmel und einer leichten Brise. Doch dadurch ging es Rosie nur noch schlechter. Im Bauch verspürte sie das gleiche beklemmende Gefühl wie vor einem Zahnarztbesuch, nur ein paar Millionen Mal schlimmer. Es war so, als wüsste man, dass etwas ganz Schreckliches passieren wird, vor dem es kein Entrinnen mehr gibt. Etwas so Grässliches, dass man nicht einmal daran zu denken wagte.

Der Vater arbeitete nur jeden zweiten Samstag, deshalb fuhr er heute die Mutter und Quietschie-George zum Einkaufen. Rosie sollte sich um drei mit Tam treffen und ihre Eltern würden lange vorher zurück sein. Zumindest würden sie sie nicht auf frischer Tat ertappen. Wenigstens eine Sache, über die sie sich keine Sorgen machen musste.

Bevor die Eltern mit dem wild strampelnden George durch die Wohnungstür nach draußen verschwanden, drehte sich die Mutter noch einmal zu Rosie um und wies zum fünfzehnten Mal darauf hin, dass Mrs. Hall, die Nachbarin, zu Hause war – für den Fall, dass irgendwas passierte –, und dass sie auf *gar keinen Fall* die Tür aufmachen durfte – außer ihrer Großmutter, Mrs. Hall oder Sarah aus der Wohung über ihnen –, und dass sie *nicht* bügeln oder den Herd oder irgendwas von den hundert Dingen tun sollte, die Rosie schon tausendmal gesagt bekommen hatte.

Als sie weg waren, legte sich Rosie aufs Bett und unterhielt sich mit ihrem Teddy. »Eigentlich *muss* ich ja gar nicht hingehen. Ich könnte ja sagen, ich hatte Kopfschmerzen.« Doch der Teddy sah überhaupt nicht so aus, als wäre er davon überzeugt. »Aber dann dürfte ich auch nicht zu der Party gehen. Oder doch? Ich sage einfach, dass ich grässliche Kopfschmerzen hatte und nicht in die Stadt konnte, aber dann hätte ich ein paar Tabletten geschluckt, und zur Party war ich rechtzeitig wieder okay. Oder ich rufe Tam an und erzähle ihr, ich müsste mit meiner Mutter einkaufen gehen. Aber da besteht die Gefahr, dass Tam auch einkaufen geht und Mama trifft und ich wäre nicht dabei.« Rosie drückte den Teddy ganz fest. »Und wenn ...«

Ein schrilles Läuten ließ sie in die Höhe fahren. Es war zwar nur das Telefon, aber es hörte sich an wie eine Feuerwehrsirene, die ihren ganzen Körper erzittern ließ.

»Hallo«, meldete Rosie sich vorsichtig.

»Hi«, sagte Tam. »Ich wollte nur mal hören, ob alles klargeht.«

»Klar!«, hauchte Rosie.

»Gut. Dann bis drei.«

Um zehn vor drei stieg Rosie Peck aus dem Siebenundzwanzigerbus und machte sich auf den Weg in die

Einkaufspassage. Zehn Minuten. Ihr blieben noch zehn Minuten. Jede Minute war kostbar. Wahrscheinlich würde sie sich ihr ganzes Leben lang daran erinnern. An die letzten Minuten ihres Lebens als ein ganz durchschnittliches zwölfjähriges Mädchen, das bis dahin nie was Schlimmeres angestellt hatte, als sich ohne zu fragen einen Keks aus der Dose zu nehmen oder kleine Flunkereien wie die, dass sie ihrer Mutter vor dem Weggehen gesagt hatte, sie würde sich in der Stadt mit Tam *und* deren Mutter treffen, weil sie eigentlich nicht ohne Erwachsene in die Stadt gehen sollte. Jetzt erlebte sie die letzten paar Minuten, bevor sie Beihilfe zu einem Verbrechen leistete. Schließlich sollte Tracey ja etwas für *sie* klauen und nicht für Tamara. Tam war total schuldlos – na ja, fast.

Als Rosie sich sehr, sehr langsam C & A näherte, fiel ihr plötzlich ein Märchen ein. Das von der kleinen Seejungfrau, wie diese an Land ging und jeder Schritt für sie eine wahre Folter war. So ähnlich ging es jetzt auch Rosie.

Das Erste, was ihr vor C & A auffiel, war Tamaras dunkelgrüner Pulli. Also dann. Jetzt gab es kein Zurück mehr.

»Hi!«, rief Tamara, als Rosie angeschlichen kam.

»Hi.« Rosie versuchte zu lächeln.

»Was ist los? Du hast doch keine Angst, oder?«

»'türlich nicht.«

»Sie sollte mal besser langsam auftauchen, schließlich bin ich extra an meinem Geburtstag hierher gekommen. Also soll sie verdammt noch mal aufkreuzen.«

Zwei Sekunden später kam Tracey angekeucht. Sie schleppte eine riesige Plastiktüte. Heute grinste sie nicht so schief und dusselig in die Gegend. Sie sah erschöpft und beunruhigt aus, als wäre sie eigentlich lieber woanders.

»Wurde ja auch langsam Zeit!« Tam sah auf Traceys Tüte. »Also los!«

Rosie sagte keinen Ton, während die drei Mädchen zum Levi's-Shop liefen. Rosies Hände waren klebrig und feucht und ihr Herz klopfte wie wild. Vor dem Laden stoppte sie plötzlich und blickte Tam an.

»Meinst du wirklich, dass das in Ordnung ist?«, fragte sie leise. »Und wenn wir erwischt werden?«

»Bist du bekloppt? Wir doch nicht!«, erwiderte Tam sauer. »Außerdem hat sie das schon x-mal gemacht. Du willst doch die Jeans, oder?«

Rosie musste sich regelrecht zwingen, in den Laden hineinzugehen. Doch schon am Eingang blieb sie stehen. Es ging nicht! Sie konnte sich einfach nicht mehr bewegen! Sie stand wie angenagelt da. In ihrem Kopf drehte sich alles, und was sie sah, verschwamm vor ihren Augen, als würde sie ein kaputtes Video anschauen. Tam musste sie gewaltsam zu dem Ständer mit den Jeans zerren. Da stand Tracey mit ihrer bis zum Boden hängenden Tüte. Sie sah nicht so aus, als hätte sie das schon x-mal gemacht. Eigentlich sah sie genauso verängstigt aus, wie Rosie sich fühlte.

»Welche?«, fragte Tam. »Welche denn?«

Rosies Hand zitterte schrecklich, als sie Tracey die Jeans zeigte. Schwarze Stretchjeans für neununddreißig Pfund fünfundneunzig. Doch plötzlich sahen diese heiß ersehnten Jeans aus wie ...

»Wann fängt denn die Party an?« Tracey sah Tam an, als würde sie nicht so recht glauben, dass die auch ihre Seite der Abmachung einhielt.

»Erst wenn du's gemacht hast, hab ich gesagt!«, zischte Tam. »Wir warten draußen, hinter der Sitzbank.«

12

Noch nie in ihrem ganzen Leben hatte sich Rosie so elend gefühlt. Sie stand mit Tam hinter der Bank und starrte wie gebannt auf das Schaufenster des Jeansladens. Ihr Herz wummerte so mächtig, dass die Passanten es eigentlich hätten hören müssen. Es kam ihr so vor, als würde es gleich herausspringen und – plumps! – auf den Gehweg fallen. Ihr Mund war trocken und ihre Hände zitterten. Sie umklammerte eine Hand mit der andern, damit sie endlich zu zittern aufhörten. O nein, o nein, o nein …

Durch das große Fenster konnten sie sehen, wie Tracey drei oder vier Jeans nahm und sie zur Ankleidekabine trug. So machte sie das also. Sie nahm mehrere Dinge, steckte das, was sie wollte, in die Tüte, und brachte die anderen Sachen wieder zurück. Aber die Leute beobachteten sie doch bestimmt! Schließlich gab es doch Ladendetektive oder wie immer die genannt wurden. Das waren Leute, die so taten, als würden sie einkaufen, aber in Wirklichkeit nach Dieben Ausschau hielten. Nach Dieben. Das Wort saß in Rosies Kopf und drehte sich wie ein Kreisel. Sie war doch auch eine Diebin. Jedenfalls genauso schlimm.

Nach einer endlos langen Zeit sah Rosie, wie Tracey wieder aus der Kabine auftauchte. Sie hängte die anprobierten Jeans zurück und wollte den Laden verlassen. Die Plastiktüte trug sie zusammengeknäult unter ihrem Arm. Während sie auf den Ausgang zuging, hielt sie den Blick zu Boden gerichtet, ihr Gesicht war unter dem strubbeligen Haar versteckt, als würde sie das irgendwie unsichtbar machen. Rosie starrte zum Ausgang und konnte weder denken noch sich rühren. Alles um sie herum wurde still. Sie war ganz steif vor lauter Angst, während sie Tracey durch die Glastür schlurfen sah. Tracey hob kurz den Kopf und stolperte auf sie zu. Rosie schrie leise auf. Ich sterbe gleich, dachte sie. Ich kann nicht mehr atmen, mein Herz klopft viel zu schnell! Ich krieg einen Herzschlag!

Dann geschah etwas Furchtbares. Rosie kam es so vor, als sähe sie etwas in Zeitlupentempo in der Wiederholung. Während Tracey sich immer noch auf sie zubewegte, holte ein Mann, der hinter ihr aus dem Geschäft gekommen war, sie plötzlich ein und packte sie am Arm. »Ich glaube, du bist im Besitz von Waren, für die du nicht bezahlt hast«, sagte er. Passanten blieben stehen und glotzten, als der Mann Tracey die Tüte wegriss, die sie unter dem Arm trug.

Solange sie lebte, würde Rosie nie den Ausdruck auf Traceys Gesicht vergessen, als der Mann sie in den Laden zurückzerrte. Eine Mischung aus Unglauben und nackter Angst. Es war schrecklich. Und dann brach Tracey in Tränen aus. Sogar von ihrem Platz aus konnte Rosie die schmerzvollen, herzzerreißenden Schluchzer hören und sehen, wie Traceys Schultern zuckten.

»Schnell!«, rief Tam. »Sie könnte uns verpetzen! Lauf!«

Sie rannten durch die Einkaufspassage, die Straße hinunter, bis zum Park. Tam schmiss sich auf den Rasen. Zu Rosies größter Verwunderung und Entsetzen fing sie zu lachen an.

»So eine doofe, doofe Kuh! Die hatte doch überhaupt keine Ahnung! Sie sah so verdammt schuldbewusst aus, dass jeder sehen *musste,* dass sie was in ihrer Tüte hatte. Wie sie versucht hat, sie unterm Arm zu verstecken!« Tam blickte Rosie an. »Schade wegen der Jeans. Aber hast du ihr *Gesicht* gesehen? Echt, so was Komisches!«

Niemals würde Rosie Traceys Gesicht vergessen können. Sie stand auf und rannte los. Sie wartete nicht erst auf den Bus. Sie rannte den ganzen langen Weg nach Hause und wusste hinterher nicht mal mehr, dass sie gelaufen war.

Um fünf Uhr nachmittags saß Rosie bei zugezogenen Gardinen in ihrem Zimmer. Sie war ein ganz, ganz schlechter Mensch, und sie verdiente nicht, dass ihr jemals im Leben noch irgendwas Schönes passierte. Sie hörte, wie ihr Vater draußen die Brombeersträucher zurückschnitt und sich an der kleinen Wildnis hinten im Garten zu schaffen machte. – Das hätte eigentlich sie tun sollen: ihrem Vater helfen, statt die arme unbeliebte Tracey zu etwas so Schrecklichem zu verleiten, dass man sie *verhaften* würde. Sie war eine grässliche Person und verdiente diese lieben Eltern nicht, die sie für ein nettes Kind hielten. Sie verdiente nicht mal Quietschie-George – der war vielleicht anstrengend, aber er hatte noch nie so was Fürchterliches, Schlimmes und *Grausames* gemacht wie sie.

Unten las ihre Mutter die Zeitung oder versuchte es jedenfalls. Sie konnte sich nicht so recht darauf konzentrieren, weil Rosie oben in ihrem Zimmer herumsaß. Wahrscheinlich motzt sie immer noch wegen dieser blöden Jeans herum, dachte sie. Meine Güte, ich hätte nie gedacht, dass das Kind so stur sein könnte, sie hätte das mittlerweile doch wirklich lassen können. Nun machte Mrs. Peck sich ernsthaft Sorgen. Es sah

Rosie gar nicht ähnlich, dass sie sich das so sehr zu Herzen nahm. Sie lächelte im Stillen. Hm, vielleicht hab ich ja was, das sie wieder auf fröhliche Gedanken bringt.

Sie sah auf die Uhr. »Rosie!«, rief sie nach oben. »Komm sofort runter!«

Keine Antwort. Sie holte ihre Einkaufstasche und stieg damit die Treppe hoch. »Rosie?«, rief sie leise und klopfte an die Tür, bevor sie sie aufmachte.

Rosie saß auf ihrem Bett, mit einem Gesicht, als stünde der Weltuntergang bevor. Sie sah nicht hoch, als die Mutter ins Zimmer trat, sondern stierte unglücklich auf ihre Füße und wünschte, sie könnte sich in Luft auflösen oder in den Boden versinken.

»Rosie, mein Schätzchen, heute ist doch dein großer Partyabend! Warum sitzt du denn hier im Dunkeln rum und machst ein Gesicht wie tausend Tage Regenwetter? Kuck mal, ich hab hier was, das wird dir bestimmt Freude machen.«

Damit zog sie etwas aus der Tasche. Es war eine dunkelblaue Einkaufstüte und darauf stand in großen Buchstaben LEVI'S. »Ach, Mami!«, jammerte Rosie und heulte los.

Eine halbe Stunde später saßen die Eltern und Rosie um den Küchentisch und tranken Tee. Dann und wann entrang sich Rosie noch ein erstickter Schluchzer. Nach ihrem Geständnis waren die Eltern zunächst furchtbar ärgerlich gewesen, aber dann erklärten sie, am allerwichtigsten sei, dass ihr klar geworden war, was sie angestellt hatte, und dass es ihr Leid tat. Ihre Mutter redete dann lange über die arme Tracey, wie schlimm es ist, wenn man jemanden ausnutzt, weil er schwächer und verletzlich ist, und dass Rosie sich mal überlegen sollte, wie sie das wieder gutmachen konnte. Sie versuchten auch, Traceys Eltern anzurufen und die Sache richtig zu stellen, doch da war niemand zu Hause.

Als Rosie dann behauptete, nicht mal wilde Pferde könnten sie zu Tams Party schleifen, gab der Vater bekannt, dass sie hier in Jenkin Terrace ihre eigene Party veranstalten würden und mal richtig auf die Pauke hauen könnten: eine ganze Tüte Kartoffelchips essen und die restliche Packung Schokoeis verdrücken – aber als er sie aus dem Kühlschrank holte, war nur noch ein winziger Klecks davon übrig, und alle mussten laut lachen. Alles war so lieb und schön. Rosie hatte auch das mit dem Stift gebeichtet. Ihr Vater war natürlich nicht begeistert darüber, aber er hatte auch nicht losgeblökt. Denn schließlich – so meinte er – war es ja nicht Rosies Schuld. Ihr war, als wäre ihr ein schweres Gewicht von den Schultern genommen worden. Jenkin Terrace Nummer 25 war einfach der schönste Platz auf der ganzen Welt.

13

Am Montag war Rosie wild entschlossen, eine große Tat zu vollbringen und das mit Tracey selbst richtig zu stellen. Das war sehr schwierig, aber wenn sie es schaffte, dann hätte sie wenigstens ein bisschen wieder gutgemacht. Das, was sie falsch gemacht hatte, konnte zwar nicht mehr aus der Welt geschafft werden, aber die Dinge würden in der richtigen Richtung ein bisschen vorwärts bewegt.

Sobald sie auf den Schulhof kam, lief Kate zu ihr hin und fragte: »Wo bist du gewesen? Es war *schrecklich*! Ich habe stundenlang auf dich gewartet, dann hab ich gesagt, ich hätte Kopfschmerzen und bin nach Hause gegangen. Tam steckte die ganze Zeit mit Sophie und Beth zusammen und tat so, als wären wir anderen gar nicht da. Ich hab so schrecklich auf dich gewartet!«

Rosie legte den Arm um Kate.

»Da ist was passiert. Ich erzähl dir nach der Schulversammlung davon.«

Rosie kriegte gar nicht richtig mit, was während der Versammlung ablief, nur das letzte bisschen. Sie erinnerte sich, dass sie Lieder sangen und dass Miss Taylor etwas wegen der Schwimmmannschaft bekannt gab. Mit ängstlich pochendem Herzen wartete sie auf das, was kommen musste.

Endlich, als alles vorbei war, stand Mr. Parkinson auf und forderte alle auf, noch kurz zu bleiben, weil er etwas Wichtiges mitzuteilen hatte.

Dann ließ er sich darüber aus, dass er an dem heutigen Morgen etwas sehr Unangenehmes und Unerfreuliches zu verkünden hätte.

Eine Schülerin der Schule wäre in einen Ladendiebstahl verwickelt worden. Zum ersten Mal – abgesehen von der unglückseligen Angelegenheit mit der 4C letzten Sommer im Schwimmbad – hätte jemand während seiner Zeit an der St.-George-Schule Ärger mit der Polizei bekommen. Und obwohl er die Schuldige nicht beim Namen nennen wollte, so wüsste er doch, wie sie heiße und hoffte, dass sie sich tüchtig schämen würde... Dann redete er stundenlang über Ladendiebstahl und dass es selbst in schwierigen Zeiten keine Entschuldigung für *Stehlen* gäbe, denn darum ginge es schließlich, ganz sonnenklar. Solche Klauereien wären *Diebstahl* …

Hinter sich hörte Rosie ein unterdrücktes Schluchzen. Sie drehte sich um und sah Tracey, die den Kopf bis zu den Knien hängen ließ und mit den Armen ihren Körper umklammert hielt. Andere Schülerinnen drehten sich ebenfalls um. Dann fing das Geflüster an: »Tracey Dank … es war Tracey Dank!« So zischelte es durch die Reihen. Aber am schlimmsten war das Geräusch von Tams leisem, hohem Lachen, als sie Sophie und Beth etwas zuflüsterte.

Wieder verspürte Rosie das mittlerweile nur zu vertraute Schuldgefühl. Scheinbar waren die grässlichsten Momente ihres Lebens alle in die letzten paar Tage gequetscht worden. Was hätte sie dafür gegeben, wenn sie die Uhr noch einmal zu dem Zeitpunkt hätte zurückdrehen können, bevor alles anfing. Sie wünschte, Tamara Prince wäre niemals auf ihre Schule gekommen. Sie wünschte, es gäbe nur sie und Kate, so wie es früher war, wo sie albern herumkicherten und Riesenspaß miteinander hatten.

Zehn Minuten später stand Rosie vor Mr. Parkinsons Büro und hielt Traceys Hand. Sie hatte sie in der Toilette hinter einer verriegelten Tür weinen hören und sie nur mit all ihren Überredungskünsten zum Herauskommen bewegen können. Sie wollte Tracey klarmachen, dass sie nicht ganz allein dastand, dass Rosie zumindest ihren Teil der Schuld auf sich nehmen würde. Als Tracey endlich herauskam, hatte sie sich kaum rühren können, und Rosie konnte sie nur mit Mühe vorwärts ziehen.

Rosie klopfte an. Während sie auf das ›Herein‹ wartete, war ihr, als würde auf einmal alles ganz leise. Ein paar Sekunden erschienen wie eine Ewigkeit – es war fast so schlimm wie in dem Augenblick, als sie vor dem Laden warteten und Tracey erwischt wurde. Rosies Herz klopfte wild und in ihren Ohren klingelte es merkwürdig. Einen Sekundenbruchteil lang wollte sie weglaufen, weil die Aufgabe vor ihr so unüberwindlich schien, aber dann dröhnte Mr. Parkinsons tiefe Stimme »Herein!« und es gab kein Zurück mehr.

Die zwei Mädchen stolperten in das Büro. Rosie war aschfahl im Gesicht und schwitzte, Tracey war ein Durcheinander aus bebenden Armen, Beinen und Haaren.

Rosie holte tief Luft und machte den Mund auf. »Es war gar nicht die Schuld von Tracey!«, hauchte sie.

Mr. Parkinson saß zurückgelehnt in seinem Sessel, während Rosie mit der ganzen Geschichte herausplatzte. Sie erwähnte Tam mit keinem Wort. Die musste selbst entscheiden, ob sie mit der Wahrheit herausrücken wollte, Rosie würde sie jedenfalls nicht verpetzen. Natürlich sagte Mr. Parkinson hinterher, dass sie *beide* Schuld hätten, dass aber Rosie eigentlich mehr vorzuwerfen wäre, weil sie ein Mädchen ausgenutzt hatte, das schwach und beeinflussbar war. Außerdem wäre es sehr feige, wenn man jemanden, der einem unterlegen war, dazu zwang, etwas Unehrliches zu tun und ihn dann auch noch ganz allein das Risiko tragen ließ.

Dann hatte Tracey gestanden, dass sie auch noch andere Sachen geklaut hatte, aber sie hätte das nur getan, weil sie keine Freundinnen hatte, und sie hätte sich vorgestellt, dass die anderen sie mögen würden, wenn sie die gleichen schicken Klamotten hatte wie sie. Und Rosie wiederholte immer wieder, wie Leid es ihr tat. Am Ende heulten und schluchzten beide Mädchen so sehr, dass Mr. Parkinson von der Sekretärin Papiertaschentücher holen musste. Als sie sich wieder so weit beruhigt hatten, dass sie zuhören konnten, erklärte ihnen Mr. Parkinson, dass das, was sie getan hatten, sehr, sehr schlimm war, aber es wäre gut, dass sie sich schließlich entschlossen hätten, reinen Tisch zu machen. Er hoffte nur, sie hätten daraus gelernt. Er wüsste genau, sie wären im Grund keine schlimmen Mädchen. Wenn sie beschlössen, sich von nun an zu ändern und sich ganz besonders anständig zu verhalten, dann wäre das sicher alles wieder in Ordnung zu bringen. Schließlich nahm er ihnen das Versprechen ab, dass sie über die vergangenen Tage noch einmal genau nachdenken würden und dass sie niemals, niemals wieder bei einer so schlimmen Sache mitmachen würden. Danach *lächelte* er sie sogar an und schickte sie zurück in ihre Klasse.

Na so was! Das hätte ich nie erwartet!, sagte er zu sich, nachdem sie gegangen waren. Rosie Peck. Das hätte ich nie im Leben gedacht. Eigentlich passt das irgendwie ganz und gar nicht zu ihr, und ich könnte meinen Hintern darauf verwetten, dass da noch eine andere mit im Spiel war.

In der Pause saß Rosie mit Kate und Tracey auf dem Rasen. Tracey hatte vielleicht früher keine Freundinnen gehabt, aber soweit Rosie da was zu melden hatte, würde sich das jetzt ändern. Kate hörte ungläubig zu, als Rosie ihr die ganze schreckliche Geschichte erzählte. Alle paar Sekunden warf Tracey »Es war ja so *grässlich!*« ein.

»So, und jetzt verstehst du, warum ich nicht zu der blöden Party kommen konnte. Es *ging* einfach nicht.«

Rosie sah Kate bittend an. »Ich könnte verstehen, wenn du jetzt nicht mehr meine Freundin sein willst«, jaulte sie dann mit solch einer zittrigen, todtraurigen Stimme, dass Kate gegen ihren Willen grinsen musste. Rosie brachte einen eben immer wieder zum Lachen.

Genau da tauchte Tamara aus der Cafeteria aus, gefolgt von Sophie und Beth. Sie blickte erstaunt auf die kleine Gruppe auf dem Rasen. Allein die Tatsache, dass

Tracey dort mit Rosie und Kate saß, verriet ihr, dass irgendwas geschehen sein musste. Einen winzigen Augenblick lang sah Rosie die Angst in Tams Gesicht aufflackern, dann war da nur noch ein arrogantes, spöttisches Grinsen und sie kam zu den Sitzenden geschlendert.

»Was soll denn das bedeuten? Die drei Hexen. Ich wusste ja gar nicht, dass du und Tracey so innig befreundet seid.«

»Tja, davon kannst du ja auch gar nichts wissen, oder?«, gab Rosie zurück.

»Ganz bestimmt nicht.« Tamara sah etwas unbehaglich drein, dann fiel ihr etwas ein. »Warum seid ihr beiden vorhin eigentlich zu spät gekommen?«

»Wir waren bei Mr. Parkinson«, erwiderte Rosie. »Wir haben ihm ein paar wichtige Dinge erzählt.«

Nun sah Tam wirklich sehr besorgt aus. Ihre goldene Gesichtsfarbe wandelte sich erst in Blassgelb und dann fast zu Weiß.

»Du Miststück!«, entfuhr es ihr, bevor sie sich beherrschen konnte.

»Keine Bange«, sagte Rosie. »Ich hab nichts von dir gesagt. Ich wollte nicht die Luft verpesten.« Sie konnte es selbst kaum fassen, dass sie zu der hinreißenden und wundervollen Tam so etwas sagte – zu Tam, die in Italien Pferde und einen Swimmingpool hatte. Plötzlich fand sie diese ganzen Geschichten nur noch schreckliche Dicketuerei.

»Ts«, machte Tam. »Da kann ich nur sagen, du Tugendschaf und dass du ganz schön blöd bist. Du bist echt dämlich und bedauernswert. Saublöd!«

»Ja«, gab Rosie zurück. »Genau wie du. Das Dumme ist nur, dass du das nie begreifen wirst.«

14

An diesem Abend erzählte Rosie ihren Eltern von der Versammlung und Tracey und Mr. Parkinson. Die Eltern wiederholten dauernd, wie wichtig Ehrlichkeit und Freundlichkeit und wie besonders wichtig echte Freundinnen wären. Und Rosie sagte immer wieder, wie schrecklich sie sich aufgeführt hätte, und dass sie wild entschlossen war, alles wieder gutzumachen und sich auch mit Quietschie-George mehr Mühe zu geben. Vielleicht würde sie ihn sogar ab und zu mal im Kinderwagen ausfahren.

Mrs. Peck hatte ihr geraten, nicht zu verächtlich auf Tam herabzusehen, denn auch wenn sie eine kleine Angeberin war, so gab es meistens einen Grund für das Benehmen von Leuten, obwohl das nicht immer als Entschuldigung herhalten konnte.

Mr. Peck überlegte laut, wenn Rosie sich von nun an so um die Menschheit bemühen wollte, ob sie dann nicht am nächsten Wochenende beim Roden der Brombeeren helfen wollte, und wenn sie danach nicht zu müde wäre, könnte sie auch noch beim Verlegen der Steine für den Plattenweg beim Gemüsegarten mitmachen. Rosie hatte daraufhin »Sehr witzig, ha, ha!« entgegnet, dann hatte sie ihre Mappe genommen und war die Treppe hochgerannt, immer zwei Stufen auf einmal. Sie fühlte sich wie neugeboren. Leichter und voller Tatkraft. Plötzlich wurde ihr klar, dass jetzt keine schwierigen, bedrückenden Gedanken mehr in ihrem Kopf herumschwammen. Ihr war, als könnte sie einen Marathon hin und zurück schaffen.

Zwei Sekunden später stand sie auf dem Treppenabsatz, beugte sich über das Geländer und brüllte aus voller Lunge: »MAMA!« Ihre Mutter ließ fallen, was sie gerade in den Händen hielt und sah hoch. Nun geht es wieder los, dachte sie.

»Was gibt's denn?«

»Weißt du, wo meine alten blauen Shorts sind? Ich will Rad fahren.«

»Ach, Rosie, mein Schätzchen …«

»Was?«

»Wie schön, dass du wieder die Alte bist!«